小吃貨辦案

地獄鬼椒事件

下

文 王宇清
圖 李秉軍

目次

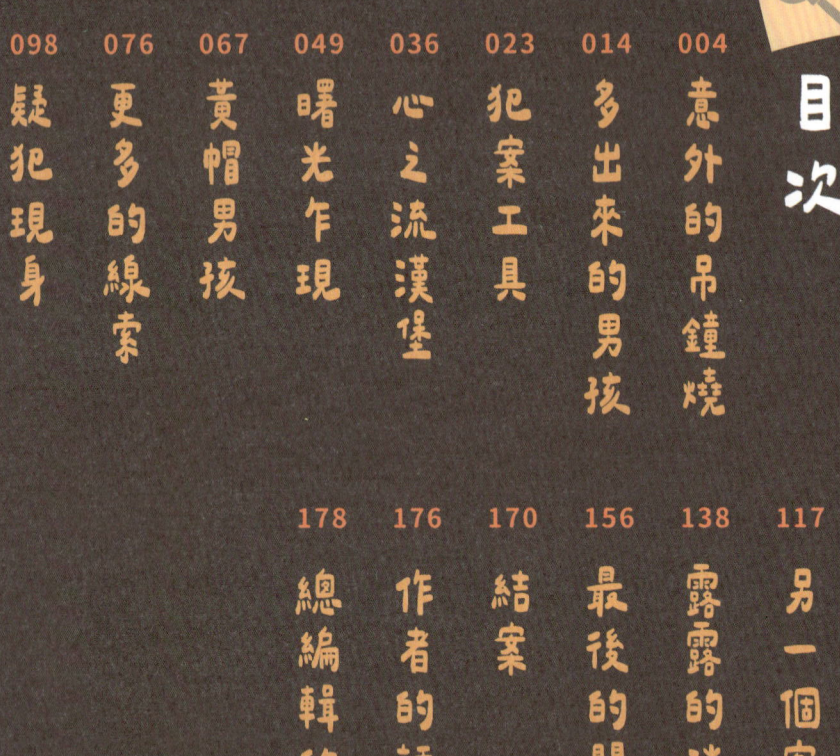

主要人物介紹

夏蔚仙

綽號阿仙，怕生、緊張的時候會口吃。個子小小，在班上是個不起眼的邊緣人。

露露

市場服飾店之女，開朗大方，擅長察言觀色，很愛打扮。

小麥

沉默寡言，在家自學。擅長科學和電腦。除了小吃，最喜歡的就是超涼薄荷口香糖。

叉燒

阿仙的愛犬，小型米克斯，很貪吃。

阿仙爸爸

作家，阿仙的最大靠山。

阿仙媽媽

擔心阿仙功課，但最後總是讓阿仙投入自己喜愛的事物。

許琳恩

事件委託人，學校裡的模範生，完美的偶像。

許達洋

琳恩的哥哥。比妹妹更受歡迎的校園偶像。

意外的吊鐘燒

隔天，就在阿仙打算重振精神，擬定偵查計畫時，卻被一股食物的氣味給吸引了。

喔！好香喔！

同一時間，叉燒也汪汪叫了起來，拚命流著口水轉圈圈。

大門還沒打開，門外已經傳來露露的笑聲：「你們兩個好鼻師。」

「露露？」

進門的露露，手上拎著的食物讓小白屋瞬間變成天堂。

「哇！是香香臭豆腐！」

臭豆腐正是討論案情的良伴，又香又臭的滋味，十足醒腦。

「喂，你案子處理得怎麼樣了？」

「嗚嘔。」阿仙差點兒被滿嘴的臭豆腐噎住，「嗚嚕喔嚕喔嚕歐……。」

「吞下去再講啦。」

咕嚕。好不容易把一大口臭豆腐吞下後，阿仙把和琳恩在電話裡的對話，告訴露露。

「所以，你覺得達洋在說謊！」露露的語調像是火箭一樣一下子衝得好高。

「只是一種推測……。」阿仙囁嚅的說，而且可能性極大，但下面這段話她此刻不敢說出口。

「為什麼不可能是達洋戴著黃色帽子？」露露不肯放棄，「琳恩沒去遛狗，怎麼知道哥哥一定沒戴帽子！」

「嗯……」阿仙低下頭，「我只是重新思考公園的爺爺奶奶說的話，」接下來嚴肅的抬起頭望向露露，「我突然意識到，我們可能犯了一個錯誤，我們一直用既有的設定來解讀這些話，所以沒有意識到兩位證人看見男孩的時間差，以及有兩個男孩先後出現的可能。」

「哇！」露露一雙眼睛瞪得和張開的嘴巴一樣大。「仙，我真的好慚愧，你好棒！」

露露坐到阿仙身旁，用力的摟住阿仙。

「我們阿仙果然有當偵探的潛力！」露露說，「我會調整自己的心態，全力協助你辦案喔！」

「汪！」又燒也跳上沙發，蹭著阿仙。

「嗚嗚，謝謝你們。」阿仙噙著快要滾落的眼淚。

「先吃東西吧！」

就在阿仙和露露因案情有了推展而開心得大吃臭豆腐之際，

叮咚！門鈴聲突然響起，把兩人嚇了一大跳！

莫非，是小麥來了？這傢伙對美食也是敏感體質。

阿仙與匆匆上前打開門，竟是一位完全沒預料到的訪客！

阿仙嚇得全身僵硬，甚至不知道該不該把嘴裡嚼到一半的臭豆腐吞下去。

「阿仙，是小麥來了嗎？」露露蹦蹦跳跳來到門前，看到來人的瞬間，卻變成了硬梆梆木頭人。

「嗨！你們好！不好意思，沒有告知就突然過來。」琳恩的哥哥今天戴著一頂簇新的黃色愛迪達鴨舌帽，上面的白色圖示和英文名稱看起來朝氣蓬勃，讓達洋更顯帥氣。

「請，請問，你、你、你有什麼事情嗎？」阿仙覺得自己像是一顆冒著熱氣的包子，「是關於狗……狗……狗狗的事情嗎？」阿仙突然想起自己剛剛吃了好多臭豆腐，而且加了很多大蒜，連忙把嘴摀上。

「不好意思，打擾你們了。我妹妹就像個小公主，什麼事情都喜歡小題大作，麻煩別人……。」雖然這樣說，達洋卻滿臉笑容，似乎毫不在意。「讓你們忙了這麼久，實在很過意不去。」達洋甚至還微微欠了欠身，禮貌家教也太好了吧！竟然對兩個小鬼行禮。

「不會的，我們也想要找出傷害狗狗的人。」阿仙連忙說。

「我聽我妹說你們還跑到公園去調查，實在太認真了，」達洋眼神誠懇的看著兩人，「我有時候會在樹下休息，有時候會跑去上廁所。那些婆婆和爺爺大多專心聊天、打拳，不太注意旁邊的人。有時候我不戴帽子，他們搞不好就認不出來了。」帽子的確蓋住了達洋好看的瀏海，但無損他的帥氣。

「原來如此……。」阿仙和露露點點頭，像中了咒。

「我想這件事就到這裡結束吧！不用再勞師動眾，這是給你們的謝禮。」達洋一邊說，一邊舉起手上的提袋。

「可是……琳恩她……」阿仙一時反應不過來，連忙向露露使眼色。但露露卻彷彿沒看到一樣，只是縮在門後，直盯著達洋看，卻不說半句話。

「別擔心，我會跟她說的，反正狗狗其實好得差不多了嘛！根本沒事的。我爸爸也說算了。」達洋把手上的提袋遞給阿仙，

「很好吃，趕快吃吧！」

「啊……不用不用……。」

「你們一定要收下，這樣我才安心。」達洋的眼神讓阿仙無法拒絕，「你們不用再調查了啦！趕快接下一個案子吧！一定有更需要你們幫忙的人，我得趕去上小提琴課，再見！」達洋說完，轉身快步離開了。

「啊……這個……」拿著提袋的阿仙，呆立在原地。

「哇！完美偶像竟然親自跑來這裡耶！」剛剛像隱形人一樣的露露嘖嘖稱奇，「聽說他們要上很多才藝班，也很用功，超忙的耶！」

「他人好Nice喔。」阿仙腦袋有點暈暈的。

「對啊！竟然這麼貼心，怕我們累，要我們別忙了，還送我們禮物。」

「你怎麼沒有幫我說點話啦！我剛剛好緊張耶！」想到達洋聞到自己滿嘴的臭豆腐和蒜味，活脫就是一臺臭豆腐味的薰香機，阿仙真想消失在地球上。

「啊！我很想出來啊，但也不想被他聞到臭豆腐的味道，所以……」露露越說越小聲。

「沒想到露露也會這樣……。」阿仙嘀嘀咕咕的抱怨著。

「唉喲，」露露臉都紅了，「特殊狀況，特殊狀況嘛！袋子裡面是什麼？」

「哇！是吊鐘燒！看起來好高級，好好吃！」兩個女孩發出高頻尖叫。「太幸福了，吃完鹹的吃甜的，今天是完美的一天。」

兩個人的尷尬很快就被高級的吊鐘燒撞飛到腦後。收拾完鹹香酥脆的臭豆腐，再一口接一口塞進鬆綿香甜的吊鐘燒，簡直太滿足了。

「真傷腦筋，我們可不能被這個吊鐘燒給收買了啊！」阿仙鼓著嘴咀嚼著，腦袋因美食再度恢復運作。「沒想到他這麼積極處理！」

琳恩終究還是告訴達洋帽子的事了吧？

只是，自己並沒有透漏帽子上的Logo是白色的呀？是巧合？還是？……阿仙再度陷入沉思。

「夏蔚仙！你又神遊了！這節課第三次！恐怕已經繞行太陽系一周了！」老師說完，全班都哄堂大笑，讓她差點沒躲進自己的書包裡。只怪自己滿腦子的案子，屢次被老師抓包不專心。

時間不斷流逝，案情卻陷入膠著。對一個菜鳥偵探來說，真是無比煎熬。

阿仙覺得自己像一隻熱鍋上的螞蟻，也像一隻被困在冰箱裡的蟑螂……唉，什麼跟什麼，總之，就是煎熬。

都怪小學生的上學時間太長了啦！阿仙忍不住碎碎唸發起牢

騷來。每天一大早七點多就到學校，上了一整天課之後，根本就沒剩多少時間了。每每想到說不定因此錯過許多線索，阿仙總忍不住嘀咕。

這天下課後，露露又和叉燒一起陪著阿仙來到琳恩家附近。露露其實很想勸阿仙別再這樣了，她很擔心被許達洋發現。可是每次看到阿仙像是一隻倔強、專注又傻氣的獵犬一般，目光炯炯的要出門調查，話就無法說出口，只能一次又一次重返舊地。

一直重複做著一樣的事情，卻沒有任何進展。簡直就像是參加一場不知道終點的馬拉松啊；但是，阿仙並不想放棄任何的可能性。

「咦！你們怎麼會來這邊？」

當她們不放棄的試了又試，在琳恩家附近探查，身後突然出現一個熟悉的聲音。竟然是達洋！達洋怎麼會這個時候出現在這裡？還真把她們嚇得手足無措。

「你們不會還在調查我家狗狗的事情吧？」

「呃……。」

「我不是說不用了嗎？我也勸過我妹妹，她已經不氣了啦！你們這樣太辛苦了。而且我爸爸媽媽都不希望妹妹花時間在這件事情上面。」

「啊，呃，嗯……啊……就是覺得狗狗很可憐。」

「所以你們真的是想幫狗狗伸張正義啊？」達洋表情有些吃驚，「真的好有正義感喔！所以，後來有查到什麼線索嗎？」

「沒……沒有……。」阿仙很不好意思，她原本打算不被達洋發現，悄悄破案，給琳恩一個驚喜的，沒想到還是被發現了。

「果然跟我想的一樣，」達洋的嘴角揚起輕鬆愜意的笑容，潔白的牙齒看起來真是好看，「這裡就算週末也很少有人，我想是不可能查到什麼線索，不用為了這種小事忙啦！我去補習了，再見喔！」

琳恩也已經放棄尋找傷害狗狗的人了嗎？這陣子都沒接到她的電話，阿仙有點洩氣，但她已經打定主意，要繼續追查下去。

就算是只為了狗狗，也一定要把傷害狗狗的人揪出來。可是，達洋剛剛的話，還有表情，讓阿仙覺得哪裡怪怪的。

「……我怎麼覺得，達洋知道我們沒有找到線索，好像有點開心啊！」阿仙說。

「阿仙，你因為辦案的關係，都把人想壞了！」露露說，「達洋只是體貼，怕我們白忙一場，唉！」露露望著天空嘆了口氣，微微搖頭。「先不管這個了，我們繼續調查吧！既然已經被發現了，那麼就更可以大大方方安心調查了。更何況我們本來就沒有收費嘛！為什麼要像做錯事情的人一樣偷偷摸摸呢？」

「汪！汪！汪！」像是憋了很久似的，叉燒叫得特別有精神。

依照慣例，先到琳恩家附近閒逛了一下子之後，接下來就是公園。

露露有一些意興闌珊，但努力打起精神。有時候，她有點懷念以前阿仙還沒開始當偵探的時候，她們可以愜意的在小白屋吃很多好吃的，發懶打滾，閒聊。

叉燒倒是不受影響。這個有點老舊又缺乏整理的公園，原始又自然的環境，很合牠的胃口。每次到訪公園，總是興味盎然的東聞聞，西嗅嗅。

才踏上步道的起點，前方就有個男生朝她們走過來。

來了這麼多次，還是第一次遇到年齡比較相近的青少年。原本不期待有任何新進展、遇到新證人的露露，頓時精神一振，連忙迎上前去。

阿仙倒是有些失望，沒有看見她預期的黃色鴨舌帽。

「嗨，你好！請問你看見過有人來遛拉布拉多嗎？」露露一邊問，一邊提醒阿仙把哈吉的照片拿出來。

「有啊！」出乎意料的，沒等阿仙拿出照片，男孩第一時間就給了肯定的答案，讓露露更加喜出望外，興奮得對阿仙笑。

「狗狗是誰帶來的呢？」

「一個男生啊！帶著黃帽子的男生。」

「大概長什麼樣子？」

「戴黃色帽子的，愛迪達的棒球帽、年紀跟我差不多大。蠻帥的。」

「你確定嗎？」

「很確定！我雖然不是每個星期都來，但還是好幾次見到那個男孩來遛狗。」男孩的說詞肯定。

「請問，你在哪裡看到他呢？」

「他都會在那一邊活動。」男孩指了指比較偏僻的那頭。「帶著狗

狗散步或者跑步，做做體操之類的。」

「謝謝！」

「祝你們好運喔！」男孩說完就頭也不回的跑走了。

遇到另一個男孩了，但不是戴黃帽子的男孩。

阿仙有點昏頭，這個男生說得很確定，明白指向達洋就是戴著黃帽子的男孩，也就是遛狗的人，簡直就是達洋的完美證人。

可是，她卻感覺哪裡不對勁，爺爺奶奶從沒有提到這樣一個男生啊？爺爺和奶奶，應該不會同時記不清吧？

這個突如其來出現的男生，究竟是誰？

在返回小白屋的路上，阿仙和露露分享了她的看法。

「現在竟然跑出一個男生，可以幫許達洋作證……」露露說，「到底是怎樣啊？許達洋真的有可能害哈吉生病嗎？」

「嗯……或、或許不是直接有關，可能是間接、或者是有什麼其他的原因……。」

「蛤？我想得頭都暈了，那我們接下來該怎麼查啊？」

「我覺得還是多蒐集一些許達洋的資訊。」阿仙說，「畢竟我們之前因為排除了他的嫌疑，所以也沒有多調查。現在我想多了解一下達洋，可以幫我多蒐集一些資訊嗎？」

「嗯！」露露決定支持阿仙。「好！要哪方面的？」

「什麼都好，比如說他在學校有沒有發生什麼事件、和爸爸媽媽的關係、或者是嗜好之類的。」阿仙其實也沒頭緒，但她有股直覺，多理解達洋，會對案情有幫助。

「對了，」阿仙拿出自己的筆記本，「我突然想到，之前我們去琳恩家訪問達洋的時候，琳恩提到許達洋有一個好友，住在公園附近。」

「但達洋好像說他不清楚？」

「嗯，所以，我想麻煩露露，也查查這個好友。」

「好……但因為他們已經升上國中了，所以可能要花一點時間喔！」

「沒關係，你慢慢來就好。」讓露露花這麼多時間處理這個案子，阿仙很過意不去。「什麼很小的線索都可以……。」

兩人邊走邊討論，不知不覺回到了小白屋。

「哈嘍！」

「哇！」阿仙和露露同時發出尖叫，她們完全沒料到小白屋裡會有人在。

那是她們盼了好久的身影。

「小、小麥！你一點聲音都沒有，連燈也不開！烏漆墨黑，忍者喔你。」「嚇爛我耶！」阿仙和露露聽起來像是在抱怨，卻早已撲到躺在沙發的小麥身上，又摟又抱。

「小麥，這三個星期你去哪裡了啊？」阿仙關切的問著，「你看起來好累。」

「抱歉。」小麥睡眼惺忪，慵慵懶懶的說，嘴巴裡滿是她最喜歡的超涼薄荷口香糖涼得發嗆的味道；瀏海過長遮住了眼睛，看起來比平常更像一隻古代牧羊犬了。「我剛剛把調查資料寄到你們信箱了。喔，鄭記地瓜球。」

小麥一屁股跌進沙發裡，吐掉了口香糖，津津有味的吃起地瓜球。

嗯嗯嗯……嗯嗯……小麥完全投入自己的地瓜球世界。

「喔！」阿仙和露露知道比起說話，小麥更喜歡透過電腦和通訊軟體溝通。阿仙滿心期待的打開小麥寄來的附件檔案。

「喔喔喔喔喔喔——」

「哇啊啊啊啊——」

阿仙和露露一看，同時發出驚呼。

「看起來好厲害！」

「真不愧是小麥！」

「哇！這個、這個……」阿仙的眼睛不斷來回掃視小麥寄來的資料，「這個這個、這個！」

「這個什麼啦？」露露覺得阿仙的反應太浮誇，自己看了半天，卻也說不出更多話。

「厲害耶！」過了半天，露露總算能擠出一句話。「但……阿仙你看得懂嗎？」

「看……看不懂，我以為你看懂了。」

「呃……啊哈哈，看不懂，我們看結論、看結論……。」

「對對對……看結論看結論……。」

兩人趕緊尷尬的把文件往下拉——

「此肉塊裡面含有高單位的辣椒成分，判定辣椒的種類是鬼椒。」

原來，小麥最近沒來，的確跑到研究室去纏她姐姐了。

在姐姐的實驗室裡，小麥針對在琳恩家撿到的肉塊，做了各種測試。小麥還附上了各種成分的分析數據和圖表，阿仙和露露

看得眼前又開始冒出各種大大小小的閃亮星星。

這、這到底是什麼啊？簡直像是外星人寫的一樣。

「看結論、看結論！」露露說。

「對！對！看結論、看結論！」阿仙也附議。

像是早就知道阿仙和露露看不懂似的，小麥用簡單的地球語言寫下了重點：

「找到的肉，來自於鎮上的『心之流手工漢堡店』。百分之百肯定。」

「喔！原來如此、原來如此。」

阿仙不愧是小吃貨，之前讀小麥給的地圖，就曾注意過這家店。她趕緊拿出地圖標記，這家漢堡店離公園的確不遠！換個角度想，離琳恩家也不遠！大大增加了證物和狗狗的關聯性！

「這個訊息實在太寶貴了！小麥好棒！」如此一來，我就更要加油了！「好！我一定會破案。」阿仙感覺像是火鳳凰，從灰燼裡再度復活啦！

阿仙有股強烈的偵探預感，有了這個訊息，就離破案不遠了。

「小麥，你是怎麼確認這家漢堡店的？」

「我買了所有能買到的辣漢堡，包括超商冷凍櫃裡的，網路上宅配的，進行交叉比對。資料裡都有。」

「抱歉讓你花好多錢，我對不起你！小麥！」阿仙好像做了虧心事一樣拚命道歉。小麥平躺在沙發上，發出聲音：「不會，我趁機吃了很多漢堡，真過癮。」

「哇！」難怪小麥前一陣子沒空理她們。

「其他家雖然也有『勁辣』『辣味』，但其實用的大多是一般的辣椒，而且很多家都是用同一個食品工廠的產品。」

再回頭仔細讀讀小麥的研究資料，上面寫著：

「使用了鬼椒和牛肉來製作漢堡，而且加入了起司、孜然和黑胡椒的只有這一家漢堡店。經過實際比對，吻合度百分之一百！」

小麥資料裡的最後一張，是心之流漢堡店的菜單。

「哇！」當阿仙看到菜單圖片時，和露露兩個人的眼睛都發出閃光。

前面一堆資料，看起來就像火星上的博士論文。這張漢堡菜單簡直就是迪士尼樂園的遊樂地圖！阿仙和露露立刻興味盎然的研究起來。

傳單上的漢堡圖，看起來好美味，散發驚人的魅力，讓兩人和一旁的叉燒看得口水直流。

漢堡店對這款漢堡的介紹：

「『地獄蔓延鬼椒堡』，可不是普通的漢堡！裡面的漢堡排，不是尋常的漢堡排。

這個漢堡排，是採用了心之流大受歡迎的經典超厚肉排，一口咬下，裡面的內餡是令人震撼的地獄鬼椒醬，會在你的喉嚨深處慢慢炸裂，是一顆真正『限制級』的漢堡！」

天啊……好可怕，但又好像無比美味……光看這個廣告文案，就讓阿仙和露露心中同時升起恐懼和想吃的慾望，兩者不斷糾纏，讓她們猛吞口水，心兒怦怦跳。

好想吃！好可怕！好想吃！好可怕！

「小麥有吃過嗎？」

「地獄鬼椒漢堡超級辣，我只吃了一小口就投降了。」小麥維持她平穩的躺姿。「但我爸媽有吃，說超好吃。他們家其他漢堡也超級好吃。」小麥特別補充。他們三個之中，就屬小麥最能吃辣。連小麥都能打敗的漢堡，肯定不是普通程度。

「他們家的漢堡，超好吃、超好吃、超好吃。」

真不得了，竟然讓省話一姐小麥連說了三次超好吃，這家的漢堡，絕對不簡單啊！

先不說要辦案了，光是為了好吃的漢堡，就好想去看看喔！而且，只要詢問老闆，當天有誰來買地獄鬼椒堡，就可以大大縮小嫌疑人的範圍了。說不定，一下子就能破案了！

「哇哇哇！好興奮！」

「出發出發！」

「小麥要一起去嗎？」

當阿仙和露露回頭，卻發現小麥已經用小毯子蒙住頭，一點反應也沒有。

那是小麥睡著的標準動作。

「看來是真的累壞了，我們自己去吧！」露露用手比劃著，阿仙立刻心領神會的點點頭；叉燒也知道要躡手躡腳，連尾巴都安安分分。

心之流漢堡

真令人期待呀！

兩人一狗，跳上腳踏車，朝著「心之流手工漢堡店」前進。

光從傳單上看到的美味介紹，就足以讓阿仙和露露把腳下的腳踏車踩成哪吒的風火輪，飛馳而去。

手工漢堡店向來不是她們的美食守備範圍，因為價格超出阿仙和露露這樣平凡小學生的預算。不像小麥，只要說是做實驗需要，她爸媽幾乎什麼都會答應。

這次有特別的機會能夠嘗到美味的漢堡，一定是美食之神的眷顧，指引她們通向更廣闊的美食世界！

露露和阿仙一樣，都快被自己的口水淹沒了，一想到不僅可以找到破案的證據，還可以品嘗到美味至極的漢堡，阿仙覺得像是全身灑滿陽光的海鷗，正在風裡飛行。

根據網路上查到的地址，她們來到了「心之流手工漢堡店」。位在小巷內的這家漢堡店店面不大，只有幾個座位；從木框的大窗戶望進店裡，可以看見裡頭擺放了簡潔的原木傢俱，搭配生意盎然的綠色盆栽，環境非常雅潔乾淨。

幾盞同樣簡約的白色金屬小吊燈，灑下鵝黃色的柔和光線，讓空間裡彷彿流動著溫暖。不得不說，光是店面的質感就讓人深受吸引，高雅又親切。

都還沒進門，就能聞到瀰漫在空氣中，混和了各種香料、肉的油脂、炭火燒烤的豐富香味，讓人肚子瞬間咕嚕嚕的叫了起來。

漢堡的價位不低，比一般的漢堡店貴上一些，對一個孩子來說更是如此。阿仙她們平時最愛吃一些附近的零嘴小吃，對於價位較高的餐廳、餐點認識得並不多。

「仙，你看！」

門口一張特意選用復古牛皮紙製作的菜單，加上手寫風格的字體，散發著「手繪海報」特有的雅致。

菜單上的漢堡品項不多，但如果真如店家所描述，漢堡的分量十足，這樣看來的話，應該還是很實惠。

「CP值算高耶！」這一點讓阿仙和露露開心又安慰。

MENU
心之流

「歡迎光臨！請問今天想吃什麼？」櫃檯前，一位穿著白襯衫，外搭格子背心，戴著膠框眼鏡，約莫三十歲的男子，滿臉笑容的問候她們。男人的聲音像是晨間新聞主播，頭上的綠色亞麻貝雷帽，讓他的書卷氣質愈加突出。

「請給我一個炭燒爆漿牛肉堡，一個地獄蔓延鬼椒堡。」露露點完餐，轉頭對阿仙說：「聽說這裡的漢堡有創意又美味！」露露的嗓門比平常大上不少，男人和一旁的店員聽了都笑了出來。

「嗯嗯……。」阿仙傻呼呼的猛點頭。

「一個炭燒爆漿牛肉堡，OK！完美的選擇！」男人點選了點餐螢幕上的選項後停下動作看著兩人，「鬼椒堡也是你們兩個要吃的嗎？」

「嗯。」

「你們是第一次來吧？」

阿仙和露露又點點頭。

「哈哈，被我猜到了。」男人笑得很開懷，「我們家的鬼椒堡，一般小孩子沒辦法吃的，太辣了。但對喜愛吃辣的人來說，是無上的美味。」

男人像是陶醉般的半閉著眼睛，繼續說著：「店裡面的每一款

漢堡都是我的傑作……如果是像你們這樣的女孩，我會推薦胡麻芝心閨蜜堡，裡面我施展了魔法，讓牛肉和豬肉成為好閨蜜，同時結合了清爽和濃郁，不妨試試看。」

哇，這個人好有自信，讓阿仙好羨慕，怎麼樣才能變得那樣有自信呢？

「聽起來太棒了，那肯定要點一個來試試看，就請給我一個吧！」露露的反應，總是無比真誠。或許如此，她才能成為服飾攤小天后吧！

「好的！你們絕對不會後悔的！」男人笑著轉身對廚房喊道：「炭燒爆漿牛肉堡、胡麻芝心閨蜜堡各一！」接著回過頭來跟露露說：「一共三百六十元，請問是付現嗎？」

露露點點頭，一邊拿錢一邊自然的和男人攀談：「對了……請問老闆，你記得11月18號星期六那天有沒有人來買地獄蔓延鬼椒堡呢？」

「啊？」男人露出不解的表情，「我們的地獄蔓延鬼椒堡非常受歡迎，每天從早上開門到晚上打烊都會有人專程來買喔！」

「其實是同學介紹我們來吃的，他跟我們誇口說自己11月18號那天買了一個地獄蔓延鬼椒堡來吃，我們只是想確認他有沒有吹牛，哈哈。」露露竟不著痕跡的編了一個說詞。

「對喔……。」阿仙這才發現不妙，出門時只想著美味的漢堡，卻把該預先想好的問題給忘了。

自己的大腦恐怕已經變成漢堡啦！

首先，他們根本不知道嫌疑犯的模樣，甚至是男、是女、是大人或者小孩都不確定！

另一方面，也不確定當天是什麼時段買的漢堡啊？搞不好前一天買的都有可能。

如此一來，就算列出包含11月18前一天曾經來買過地獄蔓延鬼椒堡的客人名單，還得要一個一個訪查，這要查到何年何月啊？

阿仙突然想起自己曾經看過的偵探小說，警探們從電腦中列印出一疊的嫌疑犯名單，一一循著上面的電話和住址進行查訪的累人情節，方才胃裡滿滿的食慾瞬間消失殆盡。

「你們的漢堡好嘍！請問還有需要什麼嗎？」男人把漢堡遞給露露，「後面還有客人要點餐喔！」

「沒……沒有了……。」

「好的！歡迎你們再來！」男子親切的對她們眨眨眼，「我敢打賭你們很快就會再回來！」

「老闆人很好耶！啊，可是好像沒有問到什麼有用的訊息……。」才剛踏出店門，本來自信滿滿的露露便檢討自己剛才的表現。

「不，是我的問題……我沒有把問題想清楚。」阿仙低著頭，毫無元氣，「唉……本以為一下子就要破案了，結果竟然連問題都不知道怎麼問。而且……」想到剛剛在腦海中的小劇場，阿仙沮喪得說不下去了。

「畢竟我們去的時候客人很多，所以也不是適合訪談的時候。」露露完全不知道方才阿仙所想，仍是興致勃勃，「好了，我們趕快吃漢堡吧！」

「嗯。」

兩人從極簡風、只用印章蓋了簡單商標的牛皮紙袋裡取出熱騰騰的漢堡。包裹漢堡的紙張，乍看是普通的白色，仔細一看，卻可以隱約看見小小的商標浮水印，一種「高級感」油然而生，手上的漢堡，像是貴族才能享受的餐點。

哇！濃郁的香氣絲毫不遮掩，大大方方的穿透密密實實的漢堡紙，衝進了阿仙和露露的鼻孔。她們從未聞過香氣這麼強烈的漢堡！真不愧是氣場強大的貴族漢堡！阿仙和露露頓時得到了安

慰，總算沒有對不起自己的零用錢。

她們抖著手，充滿虔敬的咬下第一口……

「喔喔喔喔喔！」

「哇啊啊啊啊啊！」

原本有些沮喪而食慾大減的阿仙，咬下一口漢堡之後，立刻瞪大眼睛。

「這太好吃了吧！」

「嗯嗯嗯！」露露也說不出話來。

很想要一小口一小口慢慢品嘗，嘴巴卻全然不受控制的拚命大嚼。沒一會兒工夫，兩顆漢堡就失去蹤影，全都進了她們的肚子裡。

肚子是飽了，但卻揮不去「好想再吃一個」的念頭。太貴了，得想辦法省點錢才能再吃一次，也許要下個月了，嗚。

老闆說得沒錯，她們一定還會再去。這漢堡，不簡單啊！

曙光乍現

吃過超乎想像的美味漢堡，阿仙身體再度充滿能量。

就這樣吧！列出一個一個可能的名單去調查，當能量用盡時，就再吃一個漢堡！阿仙決定靠美食延續戰鬥力。

另外，阿仙還想到縮小調查範圍的辦法——找到琳恩一家人不在的那段時間，看見嫌疑人把漢堡排放進琳恩家的目擊者。只是……在那樣少有人跡的安靜社區裡，找一個碰巧看見事件發生的人……這有可能嗎？

無論是哪個想法，都像是在大海撈針一樣。阿仙突然對警探、員警生出崇高的敬意。

他們在查案的過程中，一定遇到比自己更撲朔迷離，更棘手的狀況吧。

像這種時候，能怎麼辦呢？只能靠著毅力和耐心拚搏了。很多時候，越想著不可能，就越容易放棄。

但換個角度來說，只要有一點點希望，就值得努力！應該是這樣才對吧！阿仙想起小說和漫畫裡讓他崇拜的偵探、警探，她要像他們一樣。

自從接下琳恩的委託，轉眼已過了一個多月，好像能問的人都問過了，但阿仙沒有放棄。

這天，阿仙和露露再度來到琳恩家附近。

「咦！」

「信箱裡面沒有信了！」阿仙發現，原本塞爆鄰居家信箱裡的信，竟然清空了！「這表示這戶人家不是沒有人在！」阿仙興奮得不斷拉扯露露的手。

「阿仙，你真的很厲害耶！」

她們趕緊按了門鈴，可是，仍舊沒有人應門。

「奇怪，怎麼會這樣，又出門了嗎？」像是好不容易終於從深海浮出水面，吸到新鮮氧氣的阿仙，又興奮又著急，灼灼的視線幾乎要把門板燒出洞來，真正是望眼欲穿啊！

無奈，一直沒人開門。

怎麼會這樣，一定有人來過！難道，又和機會擦身而過了嗎？

阿仙又按了幾次門鈴，等了好一會兒，露露忍不住開口了：

「阿仙，我們回家吧，今天已經有點晚了。」

天色已經略顯昏暗，冬天的太陽回家得早。叉燒早就失去耐心，四處聞晃了好一陣子後，躺在地上呼呼大睡。

阿仙沒有回答，顯然是不甘心。

「走吧！阿仙……。」露露貼心的輕拍阿仙的背，一起轉身踏上歸途。

「汪汪！」

走了一小段路之後，卻聽到叉燒在身後狂吠，一定又是叉燒懶病發作，賴著不想走

「叉燒！走了，不要撒嬌。」兩人頭也沒回。

「汪汪！汪！」

「叉燒，我拜託你自己走過來，沒人會抱你……。」

當阿仙無奈的轉頭，卻赫然發現有一位阿姨，正把摩托車停在方才那間房子門前，手上提著塑膠袋，準備要進去！

「哇！」原本頹喪的阿仙整個人彈了起來。原來叉燒是在提醒自己呀！

來這附近這麼多次，今天終於遇上了！絕對不能錯過。

兩人不約而同，掉頭拔腿狂奔——

天啊！阿仙心臟跳得好快。

「阿姨您好。」露露打了聲招呼，「請問您住這裡嗎？」

「……」阿姨帶著帽子，加上又戴著口罩，看不清面容，似乎不太想理會她們，過了好半晌才開口，「不是，我只是來打掃的。有什麼事嗎？」

阿姨的語氣有點不耐煩，邊說邊往房子裡去，感覺立刻要把大門關上了。阿仙有預感，門一旦關上，大概就毫無機會了。

阿姨把門關得幾乎只剩下一條縫，阿仙的希望也快要熄滅。

「啊，不好意思打擾您工作，因為我們聽說好像有人欺負對面，我朋友家的狗，想說幫忙抓壞人，不知道您有沒有剛好有看到可疑的人？」露露急忙補充。

關門的動作停下了。

「咦？妹妹，你是不是在商店街賣衣服的那個？」門縫裡的阿姨，似乎用眼睛在確認什麼。

「是！」露露露出甜美的笑容。「蜜可可服飾店！」

門咿呀的打開了。

「喔！我就覺得你很眼熟，我前幾天第一次去，你算我很便宜，你們家的衣服便宜、好看又好穿呢！」阿姨解下口罩，疲憊的面容，卻有開心的微笑。

「啊！原來是您！」露露說，「您喜歡我們家的衣服真是太開心了！下次您來，我再給您打折喔！」

「喔！好喔好喔！」聽了露露的話，阿姨臉上的線條變得更柔和了，語氣也跟著輕快起來。

「你剛剛說欺負狗喔？這麼可惡！」阿姨邊說邊從門裡走了出來。

「阿、阿、阿阿姨，請問您11月18號那一天也有來這裡打掃嗎？」阿仙已經沒那麼緊張了，深怕機會稍縱即逝，趕緊提出關鍵問題。

她覺得自己像是在參加某種抽獎活動，就在開獎的前一刻，好緊張啊！

「有喔！」沒想到阿姨聽了日期，立刻肯定的說有。「我每個月過來打掃一次，上個月就是那天。」

「您怎麼肯定是那天？」

「我每個月都是那天轉帳繳貸款，那天我就是處理完這件事才來這裡的。」阿姨沒有絲毫猶豫。

阿仙快要不能呼吸了，不行！得先把問題問完。

「您、您、您那天有看到對面有人在跟狗玩，還是什麼奇怪的人靠近他們的房子嗎？」

「上個月的事情了耶……」阿姨皺著眉頭，好像想得有點辛苦。「我是沒有特別注意啦，但是……。」

阿仙緊張得全身僵硬！

「啊！早上出來澆花的時候，有看到一個戴黃帽子的男生，好像蹲在牆邊……。」

賓果！阿仙激動得抱住露露。

「您確定是戴黃帽子的男生？」

「確定，因為那個黃色很顯眼，而且，他聽到我走出來的聲音，還回頭看我一眼。」

「請、請問有看清楚他在做什麼嗎？」

「……沒有耶，就看他手上好像拿了一個小紙袋還是什麼的，然後就匆匆忙忙跑掉了！」

「匆匆忙忙嗎？」

「嗯……看起來有點慌張。」

「確定是11月18號嗎？」

「不會錯的啦！」阿姨做出一個誇張的「你懷疑什麼啊」的表情，「妹妹，我都是固定排班的，哪一天不會錯啦！我每一個月才來一次。」

「謝謝阿姨！」天啊天啊！這真是不得了的訊息！阿仙的心臟真的要爆炸了！

黃帽男孩的確另有其人，不是琳恩的哥哥。

自己的推理得到驗證，阿仙內心的激動振奮油然而生。

「請問帽子有什麼特徵嗎？」如果，和公園裡的爺爺說法一致，那……。

「黃色的那種鴨舌棒球帽！很黃，」阿姨說，「上面有寫愛迪什麼的帽子。」

阿仙真的想哭了。

為了確認，阿仙把筆記本又拿出來看。沒錯，琳恩說，那天他們確實全家出門，傍晚才回到家。

「請問是，是白色的Logo嗎？」

「什麼樓狗我不知道啦，就是白色的字，愛、迪……什麼，因為他很快跑走，後面沒看清楚。」阿姨說。

「中文字？」

「對啊！中文字，愛情的愛，迪是……笛子，不是，是愛迪生的迪，啊！對了，是愛迪達。」

中文字？阿仙想起達洋的帽子，上面是知名運動品牌的圖案和英文商標。

而自己也一直以為就是那個運動品牌的標誌，沒想到竟出現這樣的差異，這會是一個重要的線索嗎？

「該不該再去找達洋問話呢？」阿仙想。「搞不好，他知道這一個戴黃帽子的男孩！」不，這樣或許反而會打草驚蛇。她應該要把線索調查得更清楚之後，再找可能有關的人問話。

「請問那個男孩看起來大概多大年紀？」

「嗯……看起來大概跟你們差不多哦！」

就在阿仙兀自琢磨腦中的各種想法時，阿姨突然驚呼：「啊！時間差不多了，我要回去煮飯了。還有問題要問嗎？」

「不好意思，再請問阿姨最後一個問題，那頂帽子看起來很新嗎？」

「嗯……我沒有看得很清楚耶，但應該不是新的……我不是很確定。」

「好，沒有問題了！謝謝阿姨！抱歉耽誤您的時間！」阿仙大大的鞠了個躬。

「不會啦！」阿姨笑著說，「還好我剛好有東西忘記拿，才繞回來，不然……。」

「謝謝阿姨！下次來買衣服，我會再給您更多優惠喔！」露露親暱的握了握阿姨的手。

「呵呵呵！好喲！掰掰！」阿姨爽朗的大笑，顯然很開心。

今天得到了重要的情報！

天啊，阿仙回想起那天許達洋拿著吊鐘燒來到小白屋，那頂黃色帽子看起來簡直就像是全新的，而且，上面的字體，寫的是英文字。

這麼說來，許達洋的確在隱瞞什麼事情。他將狗狗丟下後，去了哪裡？

另外一點，那之前在公園裡遇到的，那個信誓旦旦說看見戴黃帽子帥男孩帶著哈吉跑步的那個男生，又是誰？為何要幫助許達洋做偽證呢？

被一層一層的謎團包裹，又一層一層前進的阿仙，沉浸在自己的推理迷宮中，對向晚微風裡的涼意，渾然未覺。

「小麥、小麥、小麥！我可以麻煩你嗎？」一回到小白屋，阿仙就衝著小麥大嚷。

「當然。」小麥咧嘴一笑，「要我做什麼？」

「我想請你幫我收集能找到的所有愛迪達黃色棒球帽、白色Logo或字樣的圖片。」

「小事一樁。」小麥往嘴裡塞了兩顆超涼薄荷口香糖，準備開工。

果真沒多久時間，小麥就整理列印了不同年代黃色愛迪達棒球帽的照片。但沒有一頂符合打掃阿姨和公園爺爺（阿仙後來又去了公園跟爺爺確認）所說的「白色中文愛迪達」款式。

阿仙還發現，照片中還包含了達洋戴的款式——是今年的最新款式，而且還是最近才發行的。

「露露，那天達洋來小白屋，他帽子上的Logo是英文，而且看起來超新，簡直就像剛買的一樣。」

「什麼意思？」這次換露露腦筋打結了，那天她因為臭豆腐的關係躲在小白屋裡，沒有看清楚。「你到底想說什麼？」

「根據目前收集到的資料，更確認達洋明顯在說謊。」小麥幫忙補充。

「可是，為、為什麼達洋要說謊啊？」露露還是想不通。

「不知道……」阿仙說，「除非達洋自己告訴我們，或者我們去找出答案。」

「太奇怪了、太奇怪了！」露露不斷喃喃自語。

「嗯！不知道這個黃帽子男孩除了去過公園，是不是也去過漢堡店？」

隔天，為了怕人潮多影響調查，阿仙和露露特地避開了用餐的尖峰期，來到漢堡店。

為了問問題，她們恐怕又得買一次漢堡。真不知道該哭還是該笑，雖然有了吃漢堡的正當理由，但這個月荷包真的吃不消啊！再這樣下去恐怕得先跟爸爸預支下個月的零用錢了。

「您好！我們又來了！」露露超級開朗的微笑和嗓音，讓店裡的許多人，都像吹到第一陣春風的枝椏，瞬間開出了花。「我們這次也想要再點一次經典炭燒爆漿牛肉堡、胡麻芝心閨蜜堡，各一個！」

「好的，請稍等喔！一共三百六十元。」老闆顯然還記得兩人，笑咪咪的說。

「啊，好期待趕快吃到漢堡喔！」露露雙手合十，滿臉期待的說。「請問，您這邊是不是會有個戴黃色帽子的男孩來買過漢堡呢？」

「啊！原來你們想找小東喔！你們認識他？」沒想到以「黃帽男孩」詢問，老闆立刻有了反應，這次終於按對開關了。老闆似乎得意的停頓了一下，驕傲的說：「他是我們家的超級粉絲。」

從他嘴裡吐出的「超級粉絲」四個字，彷彿閃爍著金光。

「小東之前的確每個星期六都會來，每次都戴黃色的鴨舌帽，他超愛那頂帽子的。」

「請、請、請問小通的帽、帽、帽子上面有什麼圖案嗎？」阿仙急切的問，這次她知道要仔細的確認細節。

「**小東**，東西南北的東。上面有寫愛迪達三個字。」老闆篤定的說。

「果然！」阿仙大叫出聲。

「怎麼了？」老闆一臉困惑。

「沒，沒事，請問是中文還是英文。」阿仙縮起身子，滿臉通紅。

「中文啊！很黃的帽子配上愛迪

達三個大白字。」老闆說，「很潮，超復古的，我還沒在別的地方看過，搞不好是什麼限定款。」

「帽、帽子看起來很新、還是舊舊的？男孩年紀多大？」阿仙像一隻獵犬一樣，緊緊咬著線索不放。

「小東今年小學五年級，有一次跟他聊天時提到的；至於他的帽子嘛……嗯……看起來應該戴了好一陣子，有一些髒髒、褪色的地方。」

「那……請問他11月18號星期六也有來買地獄蔓延鬼椒堡嗎？」阿仙一步一步靠近核心。

老闆聽了這個問題，卻哈哈大笑起來，「一個多月前的事，我真的記不清楚，我印象中，上個月小東也有來買漢堡。就已經說過了嘛！那個不是普通的辣度，那可是辣到破表，可以把人類直接變成火箭的超級鬼椒堡！小孩沒辦法吃的啦！而且小東永遠只吃他最愛的經典炭燒爆漿牛肉堡。別的孩子還可能幫大人買鬼椒堡，他的話，不可能啦！永遠買一樣，每次就只買一個，所以我非常確定！」老闆簡直要宣誓了，「話說，這一陣子好像沒有看到小東來吃漢堡耶！」

奇怪，怎麼會這樣呢？阿仙一面寫筆記，一面思考著。難不成小麥哪裡弄錯了？「哈哈，不是我吹牛！我，對了，你們現在應該猜到了，我是老闆，也是主廚，還是漢堡專家，人稱手工漢堡界的天才！特製的所——有——漢堡，所——有——的，」老闆把「所有」兩個字拉得老長，「不只口味超好吃，而且，一個就讓你吃到撐！一個吃不撐，兩個就爆肚！」

哇塞，這個老闆對自己的漢堡滿滿自信耶！阿仙有點傻眼，露露則覺得這老闆應該也很適合去商店街叫賣，生意肯定爆炸好。

「是的，我們在網路上看到很多人稱讚您的漢堡，是極品中的極品喔！」

露露才說到一半的時候，老闆臉上的笑容早已變成美麗的上弦月，飛上天空了。現在還只是白天呢！

「請問您知道他住哪裡嗎？我們有些事情想問他……。」

「喔，你們要找他啊！一定是要請教他關於我們家漢堡的問題吧？」心情非常好的老闆，自顧自的說著。

「哈哈，是的，同為您的漢堡粉絲，的確是想問他漢堡的問題。」露露笑得很甜美。阿仙印象中，只要露露出這種笑容，顧客買東西的機率就很高！這是必殺技發動的表情。

「啊！我很樂意告訴你！」

果然！

「謝謝！」露露的嗓音有蜂蜜般的泛音，好聽極了。

「可是，」老闆話鋒一轉，「可是我也不清楚他住哪，畢竟，我們生意很好，而且大家為了吃漢堡也會不遠千里而來嘛！」

「啊……這樣啊，」原本以為就要手到擒來的露露保持微笑，語氣卻難掩失落，「沒關係。」

「不過……我記得有一次問他是不是住這附近，他說是陪爸爸來送貨。」老闆不太確定的補充。

「送貨……您知道是哪家商店或者貨運行嗎？」阿仙迫切的想獲得這個答案。

「沒聽說耶……您好！歡迎光臨！」老闆的心思隨即被進門的客人吸引，「小朋友，後面有客人了，我們有空再聊喔！」

這時，店裡一下子湧進好幾位結伴而入的年輕人，老闆已經準備幫客人點餐了，阿仙和露露只好識相的拿了漢堡離開。能問的問題，大致上問得差不多了。沒有辜負小麥辛苦得來的訊息，真是太好了呀！

可是，新的問題又來了。

「……這個男孩沒有買鬼椒堡；哥哥達洋在說謊……」表示還有另一個黃帽男孩拿著地獄蔓延鬼椒漢堡的肉排，出現在琳恩家嗎？唉呀！到底哈吉是怎麼吃到鬼椒肉排的呢？」阿仙皺著眉頭思考，直盯著地面，彷彿馬路會告訴她答案似的。

達洋又為何要說謊呢？阿仙的腦袋不受控制的暴走。

啊啊啊！我到底遺漏了什麼？

一連串新的疑惑，像一團沉默的烏雲，不斷聚攏在阿仙的頭頂上。

更多的線索

→ 8:00~16:00 參加音樂發表會

動機不明 ＊當天詳細作息 →和家人一起出門，當
公園遛狗，把狗丟下後去哪裡呢？為什麼說謊？
幫達洋作偽證？
能到琳恩家的人／有無監視錄影器 →監視器故障，

＊星期六 8 ～ 10 點只有一組遛狗的人。
很乖。
孩和狗感情很好。
心之流漢堡店附近送貨和買漢堡，11/18 出現在

哈吉的地方 →家裡和＊公園，查哪一座公園 →☆

似＊絞肉肉排，查成分 →心之流漢堡店的地獄蔓

案件名稱：狗狗吃辣椒事件

★狗狗哈吉 *拿合照確認長相 →米白色拉不拉多

★只吃凱瑟琳公主乾狗糧

★只接受家人餵食

★誤食超辣食物導致急性腸胃炎

時間：

11 月 18 日 星 期 六 * 琳 恩 一 家 作 息 / 不 在 家 時 間

相關人：

★嫌疑犯 1：琳恩哥哥，可能外帶含辣椒的食物，餵給哈吉，天早上和琳恩一起餵狗。*每個星期六早上 8 ～ 10 點去

*目擊證人男生，說自己看見達洋戴黃帽子遛狗，為何

★嫌疑犯 2：外人，動機不明，仇恨 / 嫉妒 / 意外 *當日可找在公園和哈吉接觸的人 →戴黃色愛迪達鴨舌帽的男孩

★證人：公園的爺爺奶奶，星期六早上 8 ～ 10 點在公園→

*奶奶說遛狗的男孩不負責任，狗狗都是自己待著但是

*爺爺說一個☆戴愛迪達黃帽子的男孩，會跟狗玩，男

★確認 *戴愛迪達黃帽子的男孩 →小東，五年級，固定去琳恩家餵狗狗，*查到底當天有沒有買鬼椒堡？住哪裡？

犯案地點：

★琳恩家（待確認）*查看哈吉活動範圍 / 外人可能接觸到民生公園，達洋好友住附近？

犯案工具：

★超辣食物（待確認）*搜尋現場是否留下食物碎屑 →疑延鬼椒堡

阿仙一遍又一遍逡巡著黑板上的資料，試圖找出破案的蛛絲馬跡。她覺得自己握有好多片的拼圖，卻還沒找到一片又一片的拼圖之間，拼接起來的關聯。

話說，戴著中文「愛迪達」字樣黃帽子的男孩到底該從何找起呢？老闆說，他好一陣子沒去買漢堡了，心虛嗎？怎麼想，都覺得這個男孩就是讓哈吉生病的人。

送貨的可能性有好多好多種，更何況，客人那麼多，有可能漢堡店老闆根本記錯了。簡直就像大海撈針一樣，想得越多，就湧出越多的可能性，阿仙有點頭疼。

「唉，怎麼辦呢？」

阿仙回家吃過晚餐，上樓寫功課去了。

「阿仙！」樓下傳來媽媽的叫聲，「露露來找你喔！」

只聽見一陣急切的腳步聲，砰砰砰砰的衝上樓來，接著門打開了。

「露露！你怎麼來了？」

「抱歉抱歉，我沒先打電話就從補習班過來，我媽的手機又剛好沒電……呼、呼……，」露露一隻手拄著門，一隻手邊說邊比劃著，還不斷喘著大氣，「緊、緊急狀況……。」

「緊——」阿仙還沒說完，露露從包包掏出一本硬皮書，塞到了阿仙面前。

「這是什麼？」竟然是一本——小學畢業紀念冊？

「咦？」阿仙腦袋有點轉不過來。

「許達洋。」露露指了指畢業紀念冊。「我剛剛在補習班借到的。」

「喔喔喔喔喔！」阿仙這才反應過來，露露幫她借到達洋的國小畢業冊。

「你翻到六年六班。」

「好……。」阿仙手忙腳亂翻到六班，一下子就看到許達洋。臉上稚氣未脫，卻還是很帥。

「你看看那一頁左下角的那個男同學。」

「左下角……左下角，」阿仙迷迷糊糊依照指示看了一眼，突然跳了起來，「這個人……不就是那天在公園遇到的那個男生嗎？說確定有看見黃帽男孩的那個男生！」

千真萬確，雖然髮型不太一樣，但分明就是那個男孩。

「這個就是黃佑謙，達洋的好友。」露露說。

「喔喔喔喔喔！」阿仙腦中有什麼東西突然連接上了。「所以我們那天遇到的就是黃佑謙！他想掩護達洋，因為達洋把狗狗帶到公園後，就不知道跑去哪裡，而且不想被我們發現……。」

「我想你應該會很想趕快知道，所以一下課就第一時間送過

來給你。」

「太感動了！」

「之前聽琳恩說，家裡限制他們使用網路，沒有通訊軟體、社群網路，除非功課需求，不能隨意上網……許達洋還是很神祕，不太有辦法知道太多他的事情。」露露停頓了一下又接著說，「我也聽說許達洋他爸爸很嚴格的限制他們使用3C產品，他們家不能打電動。許達洋很嚮往成為電競選手，曾經跟朋友說他很遺憾，因為他沒有辦法練習。」

「嗨，兩位，不好意思……」露露的身後，出現爸爸和媽媽的身影，「打斷兩位聊天，但露露該回去了。我們一起開車送露露回去吧！」

「啊……阿仙，我該回去了，我媽剛剛急著回去點貨，所以得請伯父伯母送我一下。」露露很有禮貌的說，「伯父、伯母，麻煩您們了。」

「不會，一點也不麻煩。非常樂意！」阿仙媽媽親切的笑著說。「走吧！」

阿仙留意到，爸爸媽媽身上都穿著同樣的藍色T恤，上面用少女體大大印著「帥又美」的字樣，看起來有一點點「俗」。

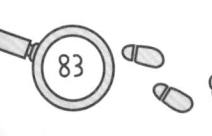

送露露回家後，回程車上，阿仙忍不住跟爸爸發牢騷：「爸、媽！你們身上穿的衣服從哪裡來的啊？」

「喔！這個喔！」爸爸扯了扯衣襟，「這個是一家火鍋店結束營業後，淘汰不要的制服啦！這是吸溼排汗的材質，被當垃圾丟掉很可惜，也不環保。挺好看的吧？」

「呃……很好看……。」爸爸真的是環保大師。阿仙這才仔細看到旁邊的確還有一行字，寫日式小火鍋。

原來是帥又美日式火鍋的店服啊，阿仙恍然大悟。

「我和爸爸剛好當現成的情人裝，不錯吧。」媽媽把頭靠在爸爸肩膀上。

「喔，拜託……。」阿仙最怕爸爸媽媽晒恩愛了，雞皮疙瘩掉滿車。

一個想法如同流星劃過阿仙的腦袋——說不定，愛迪達是一家商店的名字？

隔天下午，小吃貨們又在小白屋集合。阿仙跟小麥約略說明了昨晚的發現，想請小麥在網路上找找看，有沒有黃佑謙的消息。

像是發動絕招的儀式，小麥再度塞了兩顆超涼薄荷口香糖到嘴裡，空氣裡瞬間瀰漫聚精會神的氣氛。

喀啦喀啦喀啦——

喀啦喀啦喀啦——

喀啦喀啦喀啦——

「喔！有了。」

過了一會兒，小麥便查到了黃佑謙的社群頁面。儘管是用英文名稱，但仍舊躲不過小麥的法眼。

小麥一則一則拉動貼文，一旁的阿仙和露露也緊盯著螢幕，唯恐遺漏重要的訊息。

「啊！等等！……那是許達洋！」露露睜大眼睛，指著其中一張照片說。

「不是吧？那個是黃佑謙。」照片中的黃佑謙，正坐在電腦

前擺出手指愛心自拍。

「不是這個，是黃佑謙後面的那個。」

仔細一看，黃佑謙的後方，的確有個人影，但只看得見一隻到肩膀的手臂。

「啥？那個只是一隻手臂，沒露臉，你怎麼認得出來？」阿仙不斷變換視角想看出其中的奧妙。

「那隻手上的手錶，就是達洋的手錶！限量版、紅藍配色的G-Hook手錶。」

小麥把圖片放大，果然是紅藍配色的G-Hook手錶。

「天啊！這樣你也認得出來！」阿仙忍不住大喊，「你真的是達洋粉耶！」

「就、就以前有稍微研究過啦，」露露羞得臉上冒煙，「趕快繼續調查吧！你們看文章內容——」

「GLORY OF WARRIORS，這個遊戲我知道——」小麥說，「非常熱門的遊戲，還有世界級的職業聯賽。」

「還有……看發文的時間，的確就是達洋去遛狗的時間！」阿仙試著把線索串

「好戰友每個星期六才能見一次面，要好好把握時間，創造更好的戰績。」
「夢想成為台灣之光，世界第一！」
#LUGO1487
#OMEGAFIGHTER999
#GLORYOFWARRIORS

聯起來，「所以，這麼看來，黃佑謙住在公園附近，達洋丟下狗狗後，就是去他家打電動。因為達洋家對網路和時間的限制很嚴格，所以，他利用遛狗的時間跑去同學家打電動的事情，不能被家裡知道……。另一方面，真正和哈吉生病有關的黃帽男孩，也是因為達洋不在狗狗身邊，才有機會靠近。所以許達洋不希望我們調查哈吉的事件，讓事情曝光。」哇！阿仙終於拼出真相的一角了。

「好辛苦啊！」露露嘆了口氣，「就只是為了打一下電動，惹出這麼多麻煩。」

「是啊……。」

對比達洋和琳恩，三個小吃貨此刻都覺得自己能夠這樣自由自在，實在很幸福。

「可是，等等喔，」露露嘟起嘴巴，若有所思的說：「發文的時間未必就是實際的時間吧，阿仙你這樣推理沒問題嗎？」

「啊！」阿仙先是愣了兩秒，才突然領會過來，雙手抱住頭，大喊：「對喔！我好豬頭！哇，怎麼辦，這篇發文沒有辦法當作證據了，嗚哇！」

露露指出問題，讓阿仙的世界瞬間崩塌！

「嘿！看這裡……。」這時，小麥拍了拍不斷哀號中的阿仙的手臂，接著指了指螢幕。

阿仙和露露看向畫面，是一張被小麥放大的照片——達洋的G-Hook手錶上的時間和日期，的確就是達洋帶哈吉去遛狗的時間，連日期也清清楚楚。還有黃佑謙電腦右下方的時間也被截取放大，也是相同的日期和時間。

「耶！」阿仙抱住小麥又叫又跳，露露也跟著尖叫「哇！小麥！太棒了！小麥是科技神探！」

「呵呵呵，」小麥只是輕笑幾聲，「感謝他們用了超高解析度的照片。」

「那……害哈吉拉肚子的黃帽男孩，該怎麼找呀……？」露露試著恢復冷靜，她想起她們還有別的工作呢！

「啊！說到這個，」聽到露露提醒，阿仙也趕緊收斂心神，翻開筆記本，因為怕忘記，她把昨晚想到的點子記了下來。

「小麥，能不能查看看附近有沒有用『愛迪達』做為店名的商店或機構呢？」

「當然！」小麥篤定的點點頭，「用地圖搜尋，很容易的。」

小麥依照阿仙的要求，用「愛迪達」作為關鍵字搜尋「地圖」。只可惜，沒有任何名叫「愛迪達」的商店或機構。

「咦！你們看，」正當小麥往下拉動頁面，一家叫作「愛抵達貨運行」的店家赫然列在搜尋結果中。

天啊！

阿仙感覺到全身的血液都衝上腦門。**愛迪達？愛抵達？**這是巧合嗎？男孩的中文「愛迪達」帽子跟愛抵達貨運行有關係嗎？

「慢、慢、慢著慢著……」阿仙摀住自己的心窩，開始深呼吸，「不可以期待太高，要是男孩只是戴了愛迪達的帽子，根本和那家貨運行沒關係……那怎麼辦？」

「不行不行不行，我不能負面思考……我！要努力！」

一旁的露露和小麥，靜靜看著阿仙自言自語，一下子糾結，一下子苦惱，一下子又充滿鬥志的模樣，覺得實在可愛。

「仙，我們出發吧！」露露邊說邊站起身來。

「咦，」阿仙回過神來，「去哪裡？」

「愛抵達貨運行。」小麥已經列印出地圖了。

「可是……我不太確定是不是去了就能找到那個男生，要是又……。」

「總是要去了才知道不是嗎？不去就無法揭曉。」露露打斷阿仙，「不是每次都這樣？」

「走。」小麥從身後輕輕推了阿仙的肩膀。

「好！」阿仙好感動。

「等等等等……。」走了幾步，阿仙又緊急煞車。

「怎麼了？」

「我得先想一下，如果真找到那個男生，該問什麼問題。」

「等我一下……。」

有了之前漢堡店的經驗，阿仙這次不敢大意。她站在黑板前，專心的思考，列出幾個問題後，仔細的抄寫在筆記本上。

伶俐的露露立刻和阿仙確認了問這些問題的理由，很快就將問題記誦在心裡。

準備就緒，出發！

要如何進行詢問？

Q1 先問是不是和狗狗認識。

（如果他說不認識，就要用證人的證詞反擊）

Q2 如果男孩說認識狗狗，就探問他在何時／何地認識狗狗，以及和狗狗相處的情況。

Q3 問最近一次見過狗狗的時間和地點。

（如果說謊，則加大懷疑，並且舉證反擊）

Q4 為何知道狗狗家而且在11／18那天去家裡找狗狗？

Q5 當天看到狗狗的狀況如何？

Q6 告訴小東狗狗肚子不舒服，觀察他的反應。

Q7 問他有沒有有餵狗狗吃東西／餵了什麼？

（如果說謊，那麼就有點麻煩，只能施壓。因為有人看見他跟狗互動，所以變成有嫌疑）

（如果誠實，那麼就問為何會給狗狗吃可怕的鬼椒堡）

調查的範圍隨著找到的線索一點一點拓展，點和點之間的連結，都是透過反覆查訪才逐一推進，如今要前往一個新的地點，是否就是偵查的終點呢？這想法讓阿仙感受到一股清新無比的期待，連身子都輕盈起來。

嗚哇，真是超遠的。幸好順著要去愛抵達貨運行的方向，剛好有賣好吃的熱豆花。如此一來，再遠都不是問題了！

冷風吹拂，阿仙卻因踩著腳踏車而渾身發熱，滿身大汗。

究竟能不能順利找到那個黃帽男孩呢？阿仙一下子悲觀，一下子樂觀。但，只要有萬分之一的機會，都值得一試。在各種不確定和少少的線索中，不都慢慢前進了嗎？想到這裡，阿仙原本瘦得變成鉛塊的兩條腿，又生出不少氣力。

中途，靠著豆香四溢，充滿焦糖香味的豆花，得到了續行的補給動力，他們順利抵達了「愛抵達貨運行」。

愛抵達貨運行，看起來歷史悠久，黃底白字招牌燈都褪色了，還有幾處破裂，前方空地停著三輛老貨車。

阿仙她們才在門口張望了一下，便看見一頂黃黃的帽子在遠處出現，帽子的主人——是一位男孩！

「嗨！你好！」當阿仙還為了黃帽男孩出現不知所措，露露和小麥已大方的走上前去，叉燒也一個飛身下車，跟在露露後面，阿仙這才趕快跟上。

「你、你們好……。」男孩個子高大，看起來卻有些膽怯，一面點頭打招呼，一面用疑惑的眼神來回掃視著三人。

這麼偏遠的郊區，突然冒出三個女生跟他打招呼，的確是會有些錯愕吧？阿仙一邊想著，一邊緊盯著男孩頭上那頂印著「愛迪達」中文字的帽子。

「好可愛的狗狗！」男孩一看到叉燒，原本緊繃的臉，頓時明亮起來。

「汪汪！」叉燒聽了很高興的搖尾巴，下一秒卻抬起腿，在店門口撒了一泡尿。

「哇！叉燒！不可以！對……對不起！」原本還在擔心要怎麼開口的阿仙，慌忙道歉。

「沒關係的！沒關係！」男孩溫柔的說，「狗狗就是這樣……。」

男孩蹲下來，叉燒竟直接蹦進男孩懷裡。

「啊，你們會介意我抱他嗎？你叫叉燒嗎？」男孩和善的語氣透著歡喜。

「不會、不會！」阿仙連忙搖手，這個男孩感覺非常喜歡狗呢！……這樣的男孩，會傷害狗嗎？阿仙默默觀察著。

一般說來，除非對方手上有好吃的，否則叉燒不會一下子對陌生人這麼親近。

「對了，你們是來寄包裹的嗎？」男孩問。

「我是露露，她們是阿仙和小麥。這隻小狗叫叉燒。」露露大方的自我介紹，「你叫什麼名字呢？」

「我、我叫小東。」小東有些羞赧。

「我們今天來，是想請問你認識一隻叫哈吉的狗嗎？一隻拉不拉多？」

「啊！你說的是民生社區公園那一隻嗎？」聽到拉不拉多，男孩立刻有了反應。

「嗯。」

「嗯！我認識……怎麼了嗎？」男孩似乎不安起來，「你們是那隻狗的主人嗎？」

這是害羞，還是心虛？阿仙無法判斷。

「你是怎麼認識哈吉的？」查覺到對方也會緊張，阿仙反而輕鬆許多，問題便脫口而出。

「哈吉怎麼了嗎？」小東像擔心一個朋友一樣透露著焦急。

「哈吉生病了。」看到小東慌張的模樣，阿仙決定先告訴他這件事。

男孩倒吸一口氣：「怎麼會這樣？我上次看見牠還健健康康的呀！」小東的反應自然又直接，不像演戲。

「我們就是為了調查哈吉為什麼生病而來的，你看起來很關心哈吉，希望你能幫我們釐清事情的真相。」露露一下子就把小東變成她們的人馬了。

「沒問題，我一定幫忙。」小東果然義不容辭。

「可以請問你還記得上次看見哈吉是什麼時候嗎？在哪裡看見牠？」阿仙趁勢追問。

「嗯……確切日期我不太記得，不過是在期中考後那個星期六，我固定星期六陪爸爸送貨到民生公園附近的店家。」小東停頓了一下，似乎在回憶，「平時，我都是在公園裡和哈吉玩，那天因為在公園沒看到哈吉，所以就跑去狗狗家看牠。」

「為什麼你會知道哈吉家在哪裡？」

「因為我爸的客戶要結束營業，我們家以後不會到那邊送貨了，唉！」小東嘆了一口氣，「之後就不容易再見到哈吉。所以有一次我偷偷跟著哈吉和他的主人回家，想知道牠住哪裡，說不定有機會可以去看看牠。」

「哇，你真的很喜歡哈吉耶。」

「對呀，我本來就很喜歡狗！」小東的眼神亮了起來，「我家的狗死掉之後，我爸媽太傷心，不願意再養……。」

「喔，天啊……希望你不會太難過。」先出聲安慰小東的是阿仙，她難以想像失去自己的狗狗。

「啊，已經很久以前的事情了啦，還好、還好……。」

「那哈吉跟他主人相處的情況還好嗎？」

「我每次去公園，哈吉都是自己在那邊閒晃。有一次狗狗主人突然提早來帶哈吉回家，那是我第一次看到牠的主人，是一個男生。」

「喔！你有跟他聊天嗎？」

「我……我平常也不太敢和陌生人說話，」小東說，「那天我第一次看見狗狗的主人……啊，應該說，那時候他遠遠叫了狗的名字，哈吉就跑走了……我跟上去才看見他的主人。」

「那個男生長得什麼模樣？」

「他留著斜瀏海，看起來很帥。」

喔……看來小東看到的，的確是達洋。

「你有餵過哈吉吃東西嗎？」

「對、對不起！」小東突然連聲道歉，讓三個女孩面面相覷。

這是直接承認了嗎？

「我、我不應該沒有經過主人同意，隨便餵別人的狗……對、對不起！」

「啊……你不要緊張！」露露柔聲安撫，阿仙也跟著手忙腳亂說：「對，不要緊張、不要緊張。」

「那你是不是有餵過狗狗吃漢堡？」

「嗯，那是我在公園附近的漢堡店買的，是我覺得超好吃的漢堡。」

「平常哈吉都會吃你給牠的東西嗎？」

「嗯，我每次都會給牠吃漢堡裡面的肉排。牠超喜歡的，都是大口大口猛吃，一下子就吃光了。可惜我沒有辦法給牠多吃一點，那本來是我幫爸爸工作的獎勵，好貴……不過沒關係啦！看牠吃得很高興，我也很高興。」談起狗狗吃漢堡，小東的臉上彷彿有穿透烏雲的陽光，亮了起來。

像是意識到自己自顧自的說得太高興，小東慌亂的說：「抱歉、抱歉，我說到哈吉，就會很開心。」小東說這話的時候，還不斷撫摸抱在懷裡的叉燒。

看小東談著狗狗的熱烈神情，不像假裝出來的。此刻阿仙真想完全相信小東。然而，身為一個偵探，她必須找到更多實在的證據。

「11月18號，應該就是你最後一次看見哈吉那天，哈吉當時還好嗎？」

「那天，我也照平時的習慣，順路買了一個漢堡，覺得哈吉會高興。但是哈吉卻沒來，我覺得有點擔心，就趕快跑到哈吉家看看。還好，哈吉沒事，看見我像往常一樣開心。」

「你有遇到哈吉家的人嗎？」

小東搖搖頭。

「我去的時候，他們好像不在家，大門也關上了。不過我不是太確定。」小東說。

「那天，你有看著狗狗吃完漢堡嗎？」

「沒有。」小東看起來表情有點遺憾，「我就看牠很開心的開始吃，就趕快離開了。因為怕像之前一樣晚了，我爸又要抓狂，所以趕快跑回去，還好有趕上……呼……。」小東至今心有餘悸的呼了一口氣。

「原來是這樣啊……那你是怎麼拿肉排給狗狗吃的呢？」

「啊……」小東露出有點遺憾的表情。「因為牠被鍊著，沒辦法過來圍牆這邊，我只好把肉排丟進去。但丟的時候，沒丟好，丟到矮矮的樹叢裡，幸好鍊條還夠長，哈吉有過去吃，我就安心離開了。」

「那……你知道狗狗那天後來進了醫院嗎？」

「啊？什麼？你說什麼？」小

東像是沒聽清楚似的又問了一次。

「狗狗進了醫院。」

「怎麼會?!」小東驚叫出聲，「我看到哈吉的時候，牠還很活潑呀！」

「醫生說，狗狗吃了非常辣的食物，過度刺激腸胃，所以狗狗才會不舒服。」

「太辣的？」小東吃驚的瞪大眼睛，「誰會給狗狗吃辣的東西呢？」

「我們在哈吉家發現了一塊漢堡肉，就是心之流手工漢堡店的鬼椒堡肉排。你知道怎麼回事嗎？」

「不不不不，不可能，那不是我！」小東慌亂的猛搖手，「我不吃辣，從來沒有買過辣的漢堡，更不可能買給狗狗吃！」

「等等，你先別緊張啦！」露露忙著安撫，「說不定是哪裡搞錯了，你的漢堡是哪裡買的呢？」

「心、心、心之流……」小東臉色刷的一下變白，「……可、可是我真的沒有買辣漢堡。不然！我們一起去漢堡店，老闆認識我，他一定可以證明的！」

小東一邊連珠砲似的說著，一邊往放腳踏車的地方走，像是急著要動身離開。

「我跟你們去漢堡店，老闆認得我，他一定會證明我沒有買！」小東像是神智不清、自言自語一般的不斷重複說著。「哈吉還好嗎？我應該去跟狗主人道歉……我不知道會這樣……。」

「等等……你、你、你先別急。」小麥心有靈犀的從包包裡拿出平板，點開漢堡店的菜單檔案。

阿仙方才想起，這家漢堡店的菜單檔案做得相當精緻，把每一款漢堡都做了詳細的介紹，連裡面的漢堡肉排都有特寫。「小東點的是經典炭燒爆漿牛肉堡，但如果送上來的是地獄蔓延鬼椒堡……從照片上來看，這兩款漢堡原本長得就很接近耶，尤其是漢堡肉，看起來幾乎一模一樣……。」

「真、真的耶！」露露接過平板，仔細看了看後說，「其他的漢堡肉排看起來就不一樣，但炭燒爆漿牛肉堡和地獄蔓延鬼椒堡，真的長得超像的！」

「你確定那天哈吉有吃你給的肉排嗎？」

「……我看牠過來聞了聞，我覺得安心，就立刻走了，哈吉平常都是毫不猶豫就吃光……。」

「嗯，如果是這樣，」阿仙想到琳恩家剩下的肉排，狗狗或許一開始就查覺不對勁了。「還有一個可能……。」

「是什麼？」露露、小麥和小東三人都感到好奇。

「就是老闆出錯餐了。」阿仙試著推理，「可能廚房拿錯了肉排，或者肉排跟另一個顧客的搞混了。」

「啊！」小東說，「當時店裡面還有另一個客人！會不會……就是跟她的搞混了呢？」

「你知道她點什麼嗎？」

「我、我沒注意耶！」小東露出惋惜的神色。「這下該怎麼辦？」

「你先別擔心……也許……我們去找老闆問一下，說不定他會發現是他搞錯了。那麼，或許哈吉的主人，會原諒你並不是故意的。」

「嗯！」小東點點頭。

「好，走吧！」

小東勇於認錯，態度真誠，讓阿仙鬆了口氣。看來，這次的事件有很高的機率只是一場意外。「只要老闆發現他自己出餐錯誤，那麼一切都快結束了！」阿仙在心中暗自雀躍著。

於是，他們又跨上腳踏車，往漢堡店前進——只是，來來回回幾趟路下來，可真是差點把阿仙的小肥腿給騎斷啦！

另一個客人

他們在門外耐心等待用餐的尖峰時刻過去，小東一直焦躁不安的踱步著。

看小東這模樣，讓原本也很緊張的阿仙更不知道怎麼安撫。

「請問，你這頂帽子是哪裡買的啊？」阿仙靈光一閃，找了個話題。這頂帽子在網路上找不到，樣式也有點古老，一直讓阿仙感到好奇。

「啊，這帽子喔……」小東聽到這個問題，臉有些紅了起來。

「我家想做有店名的帽子，結果廠商樣品做錯了，寫成了愛迪達。就只有這麼一頂，老闆本來要報廢，但我覺得好可惜，就留下來了。看起來很像盜版的吧？」

「不會啦！這就成了絕無僅有的一頂啦。繁體中文很潮流耶！」露露體貼的說。

聊到這裡的時候，店裡的客人正好都離開了，小東立刻衝進店門。

老闆一見到小東，便熟絡的打招呼：「好久沒看到你了！唉喲！你和這幾位女同學果然認識啊！你很受歡迎喔！」

「不是啦！」小東窘得滿臉通紅，「老闆，我今天來是有事情想請老闆您幫忙！請問，請問您還記不記得我上次買的是什麼漢堡？」

「簡單啊！還想考我啊！」老闆笑了，「你永遠都只點炭燒爆漿牛肉堡啊！」

「你們看，」小東急切的轉頭對阿仙三人說，「老闆說我從來只點同一種漢堡啊！所以不是我……。」

「那……有沒有可能……」阿仙鼓起好大的勇氣才能說出下一句話說，「您當天出餐有錯誤呢？」

「不可能！」老闆說得斬釘截鐵，「而且，當天如果有錯，也應該當天就來反應，過了這麼久才要查證，這不太合理。」

「可是我沒有吃，是給狗吃的。」小東連忙澄清，「所以我不知道口味。」

「什麼！把我的漢堡給狗吃？」老闆雖然聲音維持平穩，但臉色變得很難看。「竟然把我的漢堡給狗吃……。」

空氣幾乎凝結成冰。

「我們店裡的品管和分量從來沒出錯！如果出錯餐，我們店裡的肉排一定會有短少！但都沒有這樣的問題！」老闆繼續堅持著，聲音也變得冷淡。

「就是請您稍微再確認一下，或者是什麼地方可能疏失了。」露露說。

「那、那天同一個時間還有另一個客人，」小東囁嚅著，「說不定是跟那個人的弄錯了……。」

「不可能。」老闆打斷小東的話，「我們是以慢工出細活、品管超級嚴格聞名的店家，不可能犯下這種錯誤。在各大網路討論區，本店全部都是五顆星的好評——無論服務、品管、口味都是絕對的好評。」

「而且，都已經過了那麼久了，沒有任何客人打電話來抱怨，當天也沒有人來更換，網路也沒有人留言啊！一定是你們搞錯了！我很忙，沒有時間陪你們小學生玩這種偵探遊戲了。想吃漢堡的話隨時歡迎喔！」老闆邊說話邊走到門邊，露露知道意思很明顯，就是要他們趕快離開。

「可是，」阿仙還想發問。

「阿仙，我們走了，老闆，抱歉打擾嘍！你們家的漢堡真的超好吃。」露露拉著阿仙、小麥和小東出了門。

「怎、怎麼辦？要是狗主人認為我故意害狗狗，那該怎麼辦？」小東著急的問。「我也想去探望一下哈吉。」

「你先別急，」阿仙其實也心急，但她直覺琳恩不會接受這樣的解釋，只得先安撫小東。「我一定會想辦法的，你別擔心。」

好不容易，總算勸退小東，三個小吃貨打算回到小白屋，思考後續的調查方向，騎了那麼遠的車，說了那麼多話，感覺有點虛脫。

一進門，小麥就直接在沙發椅上躺平了。平常最少運動的小麥，肯定是累壞了。

「喔！有魷魚絲和鱈魚絲耶。」露露發現桌上擺了兩包海味十足的零嘴，仔細一看，包裝上還有一張便利貼。

「啊，是我老爸。」爸爸兼具孩子氣又豪邁的筆跡，總讓阿仙看了好笑。

「你爸真的超好的。」自己的爸爸總是一板一眼，不苟言笑，讓露露好羨慕阿仙。

「嘻嘻。」爸爸的訊息為阿仙注入不少能量，「他說這是別人送給我們家的，要我們加油，FIGHTING！」

阿仙叼著一根鱈魚絲，手拿著筆記本，站在黑板前，開始喃喃自語。

雖然確認了黃帽男孩小東的確在琳恩一家不在的時候，給了哈吉食物吃，然而，目前看來，似乎比較像是一場誤會。

小東對狗狗的擔心和歉意溢於言表，小東不是故意傷害狗狗的機率非常非常高。

只是站在受人委託的偵探立場，有幾分證據，說幾分話；目前為止，沒有辦法說明小東的漢堡肉，為何是辣的。對於一心想要嚴懲壞人的琳恩來說，可以接受嗎？

另一方面，一想起漢堡店老闆的態度，就讓阿仙渾身不舒服。老闆很篤定男孩沒有買鬼椒堡，但狗狗卻是吃了鬼椒堡才生病的啊！這是怎麼回事？無論如何都必須設法確認兩個可能性：

一，另外有買鬼椒堡給狗狗吃的人。

二，店家做錯漢堡，卻沒發現。

「阿仙，你覺得小東是在裝傻嗎？」露露的問題，把阿仙的思緒拉回現實。

「我不覺得耶……感覺他真的很愛哈吉。」阿仙像是一隻老山羊吃草一樣的嚼著鱈魚絲，「可是，我們不能只靠感覺來決定事實。」

「嘻！」

「笑、笑什麼啦。」阿仙臉紅了。

「你平常傻呼呼的，但有時候真的像是偵探。」

「我本來就是偵探啊！」阿仙別過臉去，塞了一大把鱈魚絲。

「是說，還是要找到證據才行，證明……小呆『真的』沒有用鬼椒堡去害狗狗。」

「是小東。」閉著眼睛躺在沙發上的小麥忍不住糾正。

「歹勢，小東。雖然沒有直接的線索，但我們還是可以想辦法找別的證據。」阿仙邊咀嚼邊說著，「喔！沒想到鱈魚絲和魷魚絲混在一起吃很美味耶！果然是海洋好朋友！」

「該找什麼證據？」

「第一，最好能找到可以證明小東和哈吉相處得很好的證人；第二，確認他沒有買鬼椒堡。」阿仙說。「要是能夠找到那天被包錯漢堡的另一個顧客就好了，正常來說他應該會跟店裡反映吧？」

「不對，要是有人去反映，老闆應該就知道有做錯了。除非老闆刻意說謊，但他沒有理由這麼做吧？是嗎？」

「嗯……不知道耶。」阿仙嘴巴裡那條魷魚絲都嚼到沒味道了，卻遲遲沒有吞下，「愛面子的人通常不會輕易認錯。」

「對了！」阿仙突然用力拍了一下桌子，「網路！」

「怎麼了？」露露緊張的問。

「我、我想查美食討論區的資訊，你們可以教我嗎？」阿仙有些難為情，「我平常只會簡單的GOOGLE。」

「喔！沒問題。」明明已經睡著的小麥，突然快速從平躺姿勢立成九十度。

「哇！」一旁的露露被嚇得馬尾都豎起來。「小麥你是木乃伊還是殭屍嗎！？我真的會被你嚇死。」

小麥沒回話，只是面無表情的再抽起一把魷魚絲，塞進嘴裡，咀嚼了幾下之後，又塞了好幾顆薄荷口香糖，迅速坐到阿仙身旁，「來吧！」

小麥的呼吸中，混合著強烈的薄荷和魷魚絲的奇妙氣息。阿仙和露露無法想像那是什麼味道，但小麥的表情說明了她有多麼享受。

哇！真不得了，在網路上查詢的結果，心之流漢堡店無論在哪裡都是五顆星評價！百分之百好評，真不簡單。阿仙咋了咋舌。

「喂！你們兩個！起來動一動！久坐傷身喔！已經一個多鐘頭過去了！」

「再、再讓我查一下，拜託！」阿仙像是著了魔似的哀求著。

「一籌莫展，傷腦筋。」小麥看起來也沒打算起身。

「好了啦，快起來！」露露硬是把兩人從椅子上拔了起來，拖到屋外，強迫她們做體操，呼吸新鮮空氣。

「心之流的漢堡確實好吃，拿錯也沒有人會抱怨吧？而且目前看來，還真的是毫無負評，全部都是完美的五顆星。」阿仙跟著露露的示範做扭腰運動，腦筋裡卻還是想著漢堡的事情。

難不成，又陷入死胡同了嗎？

如果不是漢堡店疏失，還有別的可能嗎？

基於上次老闆的態度，阿仙認為根本不值五顆星。不過說實話，如果換成自己是老闆，一天到晚有小朋友來問東問西，質疑是不是服務有問題，阿仙也沒有百分百的把握，自己有足夠的耐心。

「阿仙啊！別急別急，」阿仙心不在焉，立刻被露露看穿，「也許就是時機未到！喂！扭腰扭大一點！小麥也是！」

「好、好啦！」本又想回屋的小麥，不情願的隨意扭擺著。

「唉喲……時機……真的會來嗎？」阿仙的尾音都是下墜音。

「會啦會啦！」露露像是啦啦隊一樣為阿仙打氣，「柳暗花明又一村聽過吧？」

「阿仙，你確定還要繼續往下查嗎？」露露雖然前一刻還鼓舞著阿仙，卻也有些疑惑，「你已經查到小東就是害哈吉生病的『兇手』了，應該可以結案了吧？」

「這樣……應該不是叫做兇手吧？」小麥提醒。

「犯人？」露露不確定的更正。

「……」阿仙。「如果他只是好意，然後不小心讓哈吉吃到鬼椒堡，應該也不算是犯人。」

「好像也是呢。」

「像我們在學校，如果犯錯，就變成犯人，那很多人都會變成犯人了。」

「有道理。」小麥點頭。

如果現在就告訴琳恩說誰害了狗狗，就此破案，似乎也可以，但是如此一來，小東就太可憐了。琳恩似乎不想輕易饒恕讓哈吉生病的人，因此，一定得盡可能證明小東是無心之過。

可惡，真不甘心啊，就差臨門一腳。

「我還有一些疑點想要釐清。」阿仙提出想法，「我怕說得太多會打草驚蛇。因此，我想要跟琳恩簡單說找到讓哈吉吃到辣椒的人，先觀察她的反應。而我也想知道，我們告訴琳恩之後，達洋會不會有什麼動作。」

「我同意。」小麥說。

「我也OK。」

達成共識後，他們決定由文筆最好的小麥打成一份報告，讓露露拿到學校給琳恩。

晚餐過後，阿仙回房間溫習功課，爸爸卻跟了上來。

「爸，你不是要趕稿嗎？」阿仙注意到爸爸的鬍渣越來越多，頭髮越來越亂，就知道爸爸的截稿日越來越近。

「沒事！」爸爸搔了搔自己的鬍渣，「阿仙有心事嗎？今天晚餐明明都是你喜歡的菜，但你卻只吃了一碗白飯……案子又卡住了？」

唉，本來想裝作沒事，不提案子的事情，結果終究還是被爸爸看出來了。的確，遇到合胃口的菜，阿仙通常都要添上兩三大碗白飯才過癮。

「花了好多時間，我終於找到了讓狗狗生病的人……一個名叫小東的男生。」

「哇！真厲害！恭喜耶！破案了！」爸爸衷心稱讚，「這不是很高興的事情嗎？」

「可是……他應該不是故意的。」阿仙說，「我擔心狗狗的主人若是不願意原諒他，該怎麼辦？」

爸爸走到阿仙身旁，輕輕拍了拍阿仙的肩膀：「不要擔心，你只要堅定自己的想法，努力去嘗試就對了。」

「……如果我是狗主人，我的確還是會生氣，畢竟心愛的狗狗搞不好就這樣死掉了……」阿仙說，「但……另一方面來說，如果我是小東，雖然沒有證據證明我刻意傷害狗狗，但我還是不希望對方懷疑我，對我懷恨在心。」

爸爸靜靜的聽著。

「爸爸還記得我三年級時，有一次甄真珍懷疑我偷了她的筆那件事嗎？」

「嗯。」

「班上好多同學相信就是我偷了甄真珍的筆，只因為我跟甄真珍處不來，偏偏她在班上人緣最好。儘管我真的沒有做，爸爸、媽媽和老師也相信我，但我就是沒有證據可以證明自己的清白，很多同學始終覺得是我偷的，有時候還故意叫我小偷、小偷。這件事一直讓我很難過。即使過了那麼久，我到現在還是非常、非常介意。」

爸爸靜靜聽阿仙說完後，摸了摸阿仙的頭說：

「我的女兒啊，爸爸一直都很捨不得你。所以，你想為小東多努力一下，是嗎？」

「嗯。」

「爸爸非常支持你喔！你知道嗎？」

「嗯。」

「那就好好努力下去吧，偵探阿仙。FIGHTING！」

「嗯！」

爸爸總是支持自己做想做的事，阿仙心裡暖暖的。

這個世界上有很多誤會沒有被解開，所以無論是被傷害的一方，或者無意中造成傷害的人，都無法釋懷。

小東或許有錯，但阿仙希望，能夠找到證據，讓琳恩釋懷；小東的無心之過，也能被真心的原諒。

阿仙期盼著，琳恩和小東心中的烏雲，都能消散。

露露的消息

隔天下午，小吃貨們迫不及待來到小白屋重聚。果然不出阿仙所料，琳恩看過他們的報告之後，情緒顯得相當激動。

露露說，她趁著沒有其他人的空檔，找了琳恩，把報告拿給她看。或許因為在學校，琳恩沒有當場爆氣，但表情和語氣卻冷酷得讓人可以感受到那種壓抑的、像火山一樣的盛怒。

琳恩還是希望小東會得到懲罰。

當露露問琳恩該怎麼懲罰，如果只是無心的，道歉不行嗎？

琳恩仍舊表示「除非拿出證據，不然絕對不會輕易放過這個可惡傢伙」。

「哇嗚。」小麥發出感嘆。

「她真的這麼說啊？」對琳恩的反應，阿仙雖不意外但仍感到有些遺憾。

「對啊，嚇死我了。」露露吐了吐舌頭。「不管我怎麼安撫她，跟她說明，她就是不願意接受，還一直要我告訴她犯人究竟是誰。」

「有點不近人情。」小麥說。

「如果她真的很愛哈吉，會暴怒似乎可以理解。」阿仙試著同理琳恩的情緒。

「只要不說出小東的訊息，她也沒辦法。」小麥似乎打定主意這樣做。

「阿仙，你覺得呢？我們是不是到此打住就好？」露露問，「不要再往下查了，你也會輕鬆一點。」

阿仙沒答話。

「嘿嘿嘿嘿嘿。」一旁的小麥突然露出詭異的笑聲，把露露嚇了一跳。

「小麥你怎麼了！」露露有點錯亂，「有、有點恐怖耶。」

「我找到很棒的證據喔！」小麥竟然在自誇！太罕見了。

「什麼？真的嗎？」露露瞪大眼睛。

小麥帶著自信的微笑打開電腦螢幕，逼哩啪啦的輸入指令。

「你看這個……鏘鏘！」素來沉默的小麥如此亢奮，實在很不尋常。

「哇！這是？」阿仙和露露被眼前的新證據震懾。

「小麥！這、這太棒了！」露露對小麥投以敬佩的眼神。「這個可以算是關鍵證據吧！」

「沒錯！這太棒了啦！多虧小麥可以長時間沉住氣，簡直就是證據狙擊手！」阿仙佩服得眼睛閃星光。

「沒什麼，是阿仙想到朝這個線索去追蹤，我只是順著做。」小麥咧嘴而笑，「而且我不用考試，時間多。」

「小麥真的好棒喔！」露露忍不住讚嘆，「那我們接下來該做什麼？」

「接下來，當然是去找老闆討回公道啊！」

「有這些證據，老闆一定無話可說吧！我們阿仙要破案、結案了！」

「嗯，走吧！」

「汪！」在一旁聽得一頭霧水的叉燒，卻察覺到三位偵探高昂的士氣，適時發出支持的叫聲。

不僅找到了能夠證明老闆出錯餐的證據，證明小東的無辜，也解開了許達洋的行蹤之謎，大豐收呀！

阿仙推開小白屋的大門，金燦的陽光頓時照了進來，為三位偵探打上意氣風發的光線。

「汪！」

噢！當然，還有叉燒！

儘管阿仙懷抱著信心和高昂的鬥志，可是，要再次踏入心之流手工漢堡店，詢問一些敏感的問題，還是令她腿軟。

幸好，身旁有露露、小麥，還有叉燒。他們是一個團隊！果然如露露的預言，老闆看到他們進門，原本一百分的笑容，瞬間打了五八折。

「請先給我們三個超費工肉肉大城堡，不，請給我們六個。」露露依舊擔任團隊的前鋒，用清亮甜美的嗓音大聲說，「老闆，您的手藝實在太好了，實在太好吃了，雖然可能爆肚，但是我們這次一定要一次吃兩個！」

這當然又是露露的計策——

因為菜單上寫著，超費工肉肉大城堡由於做工繁複，需要花更多時間，但絕對值得等待嘛！剛好可以用來拖延一些時間。超費工肉肉大城堡是店裡面的旗艦商品，為了辦案，三個小吃貨把私房錢全都貢獻出來，外加阿仙爸爸的私房錢贊助，才湊到足夠的資金。

「好的，請稍候……。」原本似乎還要說什麼的老闆，顯得欲言又止。

「老闆，不好意思……」趁著等漢堡的時候，露露拿出阿仙整理的資料，「我們在網路上看到一則留言，某個客人說11月18號，貴店出餐錯誤……。」

「什麼？」老闆瞄了一下資料，眼神立刻飄開，「我不清楚你在說什麼。」

「就是之前我們想請教您的，小東本來買的是炭燒爆漿牛肉堡，但拿到的卻是鬼椒堡，而這個客人剛好在同一天，點鬼椒堡卻拿到炭燒爆漿牛肉堡。雖然隔了好一段時間才發文給了三顆星的評價，但您卻立刻就回覆了。」

「呃……。」

「老闆，我們不是想找麻煩，您的漢堡非常非常美味，是我們吃過最好吃的漢堡。我們只是想確認小東是不是買了鬼椒堡，或者是出餐錯誤，就這樣而已。」

老闆一邊聽著，一邊不自覺的又把視線拉回，盯著資料，一直以來的神氣，全都從臉上消失了。

「老闆，請您過目一下……。」露露說，小麥則用平板顯示了一個美食討論區。

從上面的回文可以清楚看見漢堡店老闆還親自上去回應道歉，深切的表達了歉意，說是因為員工疏失，願意給予賠償，並請求該網友修改評價，給予五星好評。

客

XXXX

280 則評論　120 張照片

★★★☆☆

已經有一段時間了，但我還是想要來發表一下評論。因為超喜歡吃辣，所以特地來心之流漢堡店朝聖，點了一個地獄鬼椒堡。結果要吃了才發現根本包錯，根本不是辣的。想回去換，但已經在旅行回家的路上，離得很遠，也很累了。

漢堡本身是好吃，但因為當時只有兩個客人，竟然還出錯餐，要是能夠更注意一些就給五顆星。白跑了一趟，所以只給三顆星。

心

心之流手工漢堡店

真的很不好意思！造成您的不愉快，敝店會寄送兌換券給您，下次可以免費換取兩個漢堡，不限品項，希望您能給我們彌補的機會。

客

XXXX

280 則評論　120 張照片

★★★☆☆

店家非常有誠意，收到免費兌換券了！竟然直接大方給兩張還外加飲料券！很有誠意！

心

心之流手工漢堡店

謝謝您的體諒，可否請您更改評價，給我們五顆星呢？

客

XXXX

280 則評論　120 張照片

★★★★★

沒問題！

「喔，那個不是小東那一個啦，這個是後來的事情……」老闆焦躁的不斷用手指頭輕敲櫃檯，接著轉頭問廚房，「六個超費工肉肉大城堡還沒好嗎？」

「啊，我們用私訊聯繫上了那位發文的網友，她很友善，願意幫忙，還好心拍了發票。」

小麥很有默契的跟著露露的節奏切換了另一張照片。

「您看，這是她的，這張是小東的，兩個人的點餐時間只差了一分鐘。」

「網友還說，她願意作證，說她當時是和一個帶黃帽子的男孩先後買了漢堡，還一起等餐。而且等餐的時候，她趁機自拍留念，結果還把小東拍了進去。」

如果老闆承認當時給錯那名網友的漢堡，那麼就是小東的漢堡也給錯了。對方收到的口味，也的確就是小東點的炭燒爆漿牛肉堡。阿仙緊張的暗自禱告，希望老闆不會到這個節骨眼上，還堅持沒把小東的漢堡搞錯。

「您說不會出錯，但明明就出錯了，只因為我們是小孩子，所以您就不願意再確認，網路上給一個評價，您就立刻道歉，還願意給予補償。」見老闆一直不作聲，阿仙脫口而出，「這樣說不過去……。」

一說完，阿仙的臉都漲紅了，一定是鼓起很大的勇氣，才說出這些話的吧！露露和小麥覺得阿仙好勇敢。

「您家的漢堡非常好吃，我們都很喜歡！請您考慮一下我們這些小朋友的感受。」露露說，「這麼好吃的漢堡，您一定不希望看到負評吧！我們只是想確認一下。」

「我……好……好吧！」老闆急得額頭冒出汗珠，「我們員工可能、可能因為一時疏忽，那天把兩個人的漢堡搞錯了，實在很不好意思，我請你們吃漢堡，當成補償吧。」

「不用啦，老闆！」露露笑著搖搖手，「我們是因為小東把漢堡送給別人吃，結果辣到別人了，想弄清楚狀況而已，不然小東會被人家誤會啦！」

「啊……原來是這樣啊！……我想……當天是弄錯了小東和那位小姐的漢堡了……」老闆有些吞吞吐吐。「之前因為、因為客人沒來反應，所以我沒發現……。」

越說到後面，老闆的聲音變得越小。

「謝謝您！只要能確定這一點，就沒問題了！」阿仙忍不住興奮的大聲說。

「漢堡好嘍！」廚房那頭傳來噴香的氣息。

「唉呀……我以為這是一件小事，」老闆有氣無力的說，「這……這六個漢堡，就請你們吃吧！」

老闆停了一停，低頭從抽屜裡拿了東西出來，「這三張漢堡兌換券送給你們，希望你們再來吃喔！」

「哇！這樣太不好意思了！」三個小吃貨這時現出原形，猛吞口水，猛搖手拒絕，心裡其實好煎熬啊！

「沒關係沒關係，我請客，你們好好吃個過癮吧！」

「謝謝老闆！我們會再來的！」

「啊哈哈哈……好！好！歡迎、歡迎！」老闆像是苦笑著向她們揮手道別。

「謝謝老闆，您人真好。您的漢堡真的很好吃，一定會越來越紅的。我們三個都會給您五顆星喔！」

「啊哈哈哈……哪裡、哪裡……。」

這次離開漢堡店，心情卻和以往大不相同。

如今，她們可以證明小東並沒有惡意，只是一場意外，而且對哈吉很好。

儘管方式不是太正確，但阿仙喜歡友善對待狗狗的人。她很清楚的感覺到小東是一個真心愛狗狗的人。

一直以來期待破大案，將窮凶惡極的歹徒繩之以法，但今天能夠還被冤枉的人一個公道，感覺竟是如此舒暢。

「一則網路留言，給三顆星，就願意道歉；我們直接到店裡面，卻沒有道歉，還不願意承認，根本雙標。」小麥難得開口說這麼長的句子。

「嗯，這麼在意評價，早知道我們也在網路上給負評，說不定老闆直接就認錯了呢！」露露說。「這個評價比我們去詢問的時間還晚，老闆卻秒回耶！真的雙標加1！」

「哈哈哈，說得也是。」阿仙苦笑。

「欺負小孩子真要不得。」小麥說。

「是啊，不過我們也打敗這一關的Boss了呀！」阿仙說。

「對，耶！」露露聽了瞪大眼睛，開心的喊了出來。「打敗Boss了！」

「搞定。」小麥比了一個大大的讚。

「多虧阿仙這麼努力，才能有現在的進展。」露露說。

「不，沒有你們的協助，我絕對沒有辦法一個人破案，謝謝你們。」

「謝什麼啦！我們是一個團隊耶！」被阿仙真情滿滿的感謝詞感動的露露，用手勾住阿仙和小麥的肩膀。

「Great Team Work！」小麥豎起兩手的大拇指。

Great Team Work

最後的關卡

「他就是讓哈吉生病的人對吧！」琳恩怒目瞪著小東。

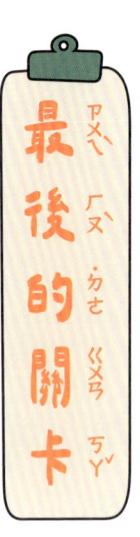

約了琳恩到她家當面說明，電話裡原本一如往常溫和的琳恩，見到了小東，卻出現了讓阿仙出乎意料的反應。

「我要把他抓去警察局！他就是想害死哈吉的兇手！」琳恩的情緒崩潰，怒氣像是山洪爆發。

「對！對不起！」小東一直點頭道歉。

「琳恩，請聽我們說……」露露連忙站到兩人之間，「這是

一場誤會，他不是故意的。」

「我不管，他就是害了我家狗狗！一定要受到處罰！」琳恩和平時大相逕庭的模樣，真把阿仙給嚇壞了。小麥這時走近阿仙，輕輕靠著她，讓阿仙感到有了依靠。叉燒也緊挨著阿仙的小腿，傳來了溫暖。

「對、對不起……我真的不是故意的。」小東頻頻道歉，急得滿頭汗，眼淚都快滴下來。

「你差點害死我們家的狗狗！」

「對不起、對不起……。」小東除了道歉，怕得說不出其他的話。

阿仙留意到達洋站在一旁，表情緊繃，不發一語。

「汪！汪！」後院裡傳來狗狗的吠叫。

「哈吉！」小東殷切的望著琳恩，「請問……可以讓我看看哈吉嗎？」

「不行！」

「汪！汪！汪！」哈吉不知道為何，叫得十分激動。

「哈吉！不要吵！」琳恩對著狗屋的方向大吼，哈吉果然立刻停止吠叫。

「琳恩，小東是真心愛哈吉，這只是一場意外。」露露說。「另外，想要跟你說明的是，你哥哥達洋……並沒有好好遛狗。」

「你們別想誣賴我哥，替他辯解！」琳恩還是不肯退讓，替哥哥說話。「我是請你們幫忙找出害狗狗的壞人，不是來陷害我哥哥。」

「小東雖然不小心害狗狗拉肚子，但他在公園裡，會陪伴狗狗，還會幫他清大便。而且公園裡的爺爺說，他看到的黃色帽子是『愛迪達』，就是小東帽子上的文字，不是真正的『愛迪達』品牌。我請這些目擊證人告訴我帽子上的字樣，每個人都說是白色中文字的『愛迪達』。也就是說，你哥哥的黃色帽子上面根本沒有國字，我想是聽到我轉達給你的訊息之後，他才去買的。」

阿仙逼自己看著琳恩說出這些話。

琳恩瞟了達洋一眼，達洋卻似乎裝作沒看見，只是緊抿著嘴，沒有反駁，也沒有承認。

「另外，我想，哈吉到公園，大多只是乖乖待在樹下，沒有真的好好、好好運動。」阿仙越說越快。「我還有更、更多證、證據，但希望不必拿出來。」

「不、不管怎麼說，他就是害哈吉生病的人！」琳恩別過頭，「他一定要付出代價，得到懲罰。」

「我請教過醫生，說這樣大小的狗狗每天都至少需要半小時的運動。其實……狗狗原本就缺乏運動，所以才會不健康。即使在醫生的建議下，哈吉的運動，也不過一個星期一次，而且在公園裡也沒有確實運動，只是要牠乖乖的在那邊等……」阿仙低垂雙眼，「比起狗狗吃了辣椒拉肚子，其實哈吉早就已經不健康了，而且一定也……很寂寞吧！」

聽著阿仙的話，琳恩表情越來越僵硬，她彷彿想張口說些什麼，卻又一時語塞。

她突然轉向哥哥達洋，生氣的說：「我要跟爸爸說，你遛狗其實都偷偷跑去打電動。」

一直不說話的達洋，突然也大聲吼了回去：「你跟爸爸也都說會幫忙照顧，結果狗都是我在餵，也沒有人願意去遛狗。尤其是你啦，主要是你吵著要養狗，爸爸才養的。」

「你自己不是也想養？」

「……」達洋的臉脹成豬肝色，過了好幾秒才吃力的把卡在嘴裡的話吐出來，「沒有。我從來沒有想養狗，我比較想要養貓！是爸爸、媽媽疼你，每次都要我配合。可是即使是這樣，狗最後

還是我一個人在餵！我至少還會帶哈吉出去！爸爸、媽媽每次都說很忙，推說是我們要養的，但你又很懶，只因為我是哥哥，是老大，就得要比較懂事，所以餵狗、遛狗、清大便都變成我一個人的事！」

「對不起、對不起、我願意賠醫藥費，對不起……！」小東看兄妹倆吵成這樣，忍不住插話。

阿仙、露露和小麥有些尷尬，不知道該怎麼收尾。她們沒有預料到會看到這樣的場面。

「……或許，最好的方式，就是好好重新開始照顧狗狗。」說話的人，是阿仙。

「每個人都有責任。思考以後怎麼樣照顧狗狗才是該做的事情，不然，哈吉真的太可憐了。」

兩兄妹聽著阿仙的話，臉色越脹越紅，好像快要爆炸的炸彈。露露和小麥同一時間站到了阿仙的身旁。

「你們兩個，別吵了。」

阿仙身後，傳來一個男人的聲音。

回頭一看，一位身形高大、穿著黑色西裝的中年男人，從入口大門走了進來。阿仙直覺，他就是達洋和琳恩的爸爸。

從琳恩和達洋臉上的表情看來，他們也沒有預料到父親會突然出現。

琳恩的爸爸看起來毫無表情，讓阿仙想起故事裡的高冷貴族。

他用冷峻的眼神掃視在場每個孩子，沒有人敢動。就連叉燒，此刻也僵成一頭木雕狗。

「你們剛剛的對話，我都聽見了，」琳恩的爸爸對著達洋和琳恩說。他的聲音裡聽不出喜怒，「你們的朋友說得沒錯，我們沒有把狗照顧好。」

「……」兩兄妹低下頭，不說話。

琳恩的爸爸的目光轉向小吃貨們，三個女孩緊張的握住彼此的手，像面對冷血的黑社會殺手，動也不敢動。

「謝謝你們的幫忙。」琳恩的爸爸說。

「啊？不……不、不會。」琳恩的爸爸的反應超出阿仙預期，一緊張，腦筋和舌頭全糾纏在一起。

小東走到琳恩的爸爸面前，脫下帽子，行了一個禮。

「伯父，對不起，我不該隨便餵哈吉吃東西。」小東有些哽咽，「害得哈吉生病，我真的很抱歉。對不起、對不起……。」

琳恩的爸爸向前跨了一步，伸出了手。

三個小吃貨的心臟，差點沒從嘴巴蹦出來。

只見他用手輕輕拍了小東的肩膀，說：「沒事，狗狗沒事，你別擔心。你是真心喜歡我們家哈吉吧？」

小東用力點了點頭。

「你……等一下。」

琳恩的爸爸走到後院，一會兒之後，把哈吉牽了過來。

「哈……」小東還沒叫出聲，哈吉已經衝了上來，撲到小東身上，猛搖尾巴。

小東也立刻蹲了下來，擁抱哈吉，讓哈吉熱烈的猛舔他的臉。

「哈吉、哈吉……，你沒事吧？……」小東語帶哽咽，不斷檢視哈吉的狀況，「真對不起耶……害你生病……一定很不舒服吧……對不起耶……。」

「看來哈吉真的很喜歡你喔！」琳恩的爸爸說，「以後有空，隨時歡迎你來看看哈吉！」

「爸！」琳恩發出不滿的抗議。

琳恩的爸爸輕輕瞅了琳恩一眼，琳恩立刻低下頭去。

「真的可、可以嗎？」小東瞪大眼睛。

「嗯。」琳恩的爸爸點點頭。「我想哈吉也會很高興的。我們家以後一定會好好照顧哈吉，你不用擔心。」

「謝謝！謝謝伯父。」

「謝謝伯父，那我們就先離開嘍。」露露意識到該是退場的時候，有禮貌的點了點頭，拉著阿仙、小麥和小東，準備離開。

「伯、伯父！」正要走出門的阿仙，突然想起什麼似的，回頭咚咚咚跑到琳恩的爸爸面前。

「請、請伯父不要太責備達洋，我想他不是故意的……只是需要一點時間放鬆一下，……一個很忙的國中生，還要獨自照顧狗狗，其實蠻、蠻……我聽說家裡最大的孩子，像我爸就是長子，通常要負最多的責任、常常覺得不公平、壓力最大，請不要太、太責備達洋……失、失、失禮了。」

琳恩的爸爸盯著阿仙，靜默著。

「阿仙……。」露露和小麥好緊張，卻不知該怎麼辦。

阿仙雖然身體發抖，但目光卻堅定看著對方。

沒想到，這時琳恩的爸爸竟然蹲下身子，平視阿仙。

「你很勇敢喔！」琳恩的爸爸露出了似有若無的微笑，「謝謝你的提醒，不用擔心，我不會怪達洋的。你說得很對，尤其是我，應該要負最大的責任。」

阿仙看著地面，鞠了個躬，鼓脹著紅咚咚的臉，慌慌張張跑向同伴，一起離開了琳恩和達洋的家。

結案

「謝、謝謝你們……。」當他們一同回到小白屋，小東很慎重的向三個小吃貨道謝。

「沒、沒什麼啦！」阿仙常跟別人道歉，卻不習慣別人的感謝。

「對啊，你不用這樣。」露露豪爽的說。

「汪汪！汪汪！」叉燒也有同感。

「剛剛……剛剛好可怕喔！」阿仙全身虛脫，心有餘悸的說。

「別擔心，你沒有做錯任何事。」露露和小麥一起摟住阿仙。

「謝謝你們，幫我釐清誤會，不然我一定會一直良心不安。

還有……我又見到了
哈吉，確定牠沒事，
實在太開心了，這都
要謝謝你們。」

「不客氣，下次見喔！」

「再見！」

「有空歡迎來小白屋找我們玩！」

「好！」

小東騎車離去的身子變得輕盈，阿仙望著小東的背影消失在巷口，不自覺露出微笑。

「啊，終於結束了！」露露伸了一個大大的懶腰。

「這樣、這樣算破案了嗎？」阿仙突然覺得腳底空空的，四周的景象彷彿融化了，不太真實。

「當然！」露露和小麥異口同聲。

「真的？」

「真的！你很棒！我們阿仙破了第一個案子了！」

「呼！」阿仙呼出好長好長的一口氣，彷彿已經憋了一百年，全身的力氣一下子全都洩光了。

「阿仙！你沒事吧？」聽見阿仙吁了一大口氣，身子還搖搖晃晃的，露露和小麥連忙一左一右攙扶阿仙。

「沒、沒事。」阿仙笑了起來，她覺得身體變得好輕鬆喔！像要飄起來了！

真是太棒了。

「好！我果然適合當偵探！」阿仙雙手握拳，眼睛閃著光。

「不是有人之前才說自己不是當偵探的料嗎？」露露瞇著眼、

斜斜看著阿仙。

「啊！哈！哈！」阿仙發出幾聲乾笑。「我是一顆鑽石，只是外面包覆的雜質多一點，現在要開始閃閃發光了！」

「哎喲，我們阿仙不只當偵探厲害，嘴巴也越來越厲害呢。」

「好、好啦！我們來慶功！」阿仙說，「感謝兩位的協助，這次才能漂亮破案！希望，因為這次破案讓偵探社變得超級有名，案子接不完！」

「哈哈哈！你也太樂觀了，到時候忙不過來就好笑了。」

「嘻嘻嘻，生意好總比沒生意好！我們的偵探社即將起飛，成為世界知名的一流偵探社！」

「想太多了你！我們還是來吃東西吧！」露露說。

「好！那我們吃點什麼好呢？」小麥問。

「什麼吃點，今天要吃很多很多很多很多！」

「數到三，一起說答案嘿！」

「一、二、三……。」

「漢堡！」大家異口同聲。

「好耶！」

汪！叉燒也說漢堡讚哪！

作者的話

勿以善小而不為

王宇清

我們社會常常在談論各種「大議題」，例如能源問題、政治問題、戰爭問題……，談的是希望能讓世界和環境變得更好的「大善」。這些「大善」當然都很重要，需要關注。然而我們關注的方式，卻經常是通過抱怨、諷刺、指責、謾罵來表現；看起來像關心，實際上卻流於空無，沒有實際有用的行動。

更令人難過的是，日常生活裡的小小善事，也因為這些大議題而被忽略了。有一句話叫做「勿以善小而不為」，意思是不因為是「不起眼的小事」，就認為「不重要」、「不值得做」、「CP值很低」。其實，世界正是因為許多人在意「小善」，願意「行小善」，才不致崩壞，存有美好。

阿仙渴望成為偵破大案的名偵探，但案件裡吃到辣椒而生病的狗狗，沒有生命的危險，基本上不是什麼驚天大案。然而出於對動物的關愛、對狗主人的同情，即便沒有酬勞，她也願意為了正義和真相而努力。

而到了故事中段，真相大致水落石出，阿仙大可以選擇掉頭離開。可是為了讓素昧平生、犯了無心之過的小東能夠得到諒解，從罪惡感中解脫，阿仙選擇了繼續調查。

比起法律或道理上的對錯，阿仙，總是選擇善良。

在她的心中，善良的事，就是正確、應該做的事。怯懦的她，為無辜的狗狗、善良有愛心的小東挺身而出，勇敢指出琳恩的錯誤，甚至還站在達洋的立場，為達洋說情。

在我眼中，為了一件小小善事奔走努力，擁有擇善固執勇氣的阿仙雖不耀眼，身上卻綻放著能撫慰人心、暖爐般的光芒。

總編輯的話

小木馬出版總編輯　陳怡璇

太棒了，三個小吃貨經過了抽絲剝繭、層層的推理和一步一腳印的踏查，終於完成第一件委託案，宣告破案啦！

小吃貨三人組：阿仙、小麥和露露，除了都相信食物能帶給自己能量，自詡為「吃貨」之外，其實是三個特質很不相同的人，無論是感興趣的事、表達的方式，甚至是學業擅長的領域都不相同，但他們卻能彼此支持、為了朋友的期望而一起前進，並且在過程中奉獻自己所長，也從辦案的過程中學習到對方的優點，隨著故事的展開，看著三位主角彼此的情誼和成長，讓人感覺溫暖又感動。

小白屋偵探社承辦的第一個案件，是一個某些人視為「小事」的案件，尤其「被害者」哈吉雖然遭遇不測，但既然已經痊癒又何須深究呢？故事裡除了許達洋內心期望三個小偵探不要繼續偵查之外，有些大人也認為，小學生還有更重要的事吧（考試要到了耶）！

可是基於對推理的熱愛、對真相的渴求，小偵探們努力在負起自己責任之餘，盡全力的追尋各種線索、不厭其煩的提出假設並小心驗證，實在是精神可嘉！更令人佩服的是，阿仙、小麥和露露追求的並不僅僅是方程式右側的答案，他們窮盡心力的要證明和確保「好人不能被誤會」。

原來，這就是作者在序言中所說的「在必要的時候挺身而出，對弱者伸出援手的人，就是英雄。」

王宇清老師筆下的故事，總是用孩子的眼光和生活推展情節：什麼是友情？什麼是真相？人與人（還有人與動物）之間我們可以保有最純真善良的對待……宇清老師的故事總讓我們跟著主角一起緊張、一起思考、或哭或笑，最後心滿意足的闔上書頁。

謝謝王宇清老師寫下《小吃貨辦案～地獄鬼椒事件》這個好棒的故事，同時也感謝為這本書付出許多心力的夥伴：插畫家李秉軍先生以及編輯王致凱，更謝謝小讀者和我們一起辦案。

如果還覺得意猶未盡的話，王宇清老師和小木馬出版合作的《荒島食驗家》系列和《什麼都沒有雜貨店》，一定也同樣能滿足大家喔！

故事 ++

小吃貨辦案～地獄鬼椒事件（下）

文　王宇清
圖　李秉軍

總 編 輯　陳怡璇
副總編輯　胡儀芬
責任編輯　王致凱
助理編輯　俞思塵
美術設計　捲捲
行銷企畫　林芳如
出　　版　小木馬／遠足文化事業股份有限公司
發　　行　遠足文化事業股份有限公司（讀書共和國出版集團）
　　　　　23141 新北市新店區民權路 108-2 號 9 樓
電　　話　02-22181417
Email　servic@bookrep.com.tw
傳　　真　02-86671056
郵撥帳號　19504465 遠足文化事業股份有限公司
客服專線　0800-2210-29
法律顧問　華洋法律事務所　蘇文生律師
印　　製　通南彩色印刷股份有限公司
　　　　　2024（民 113）年 9 月初版一刷
　　　　　2025（民 114）年 5 月初版二刷
定　　價　340 元
ISBN　978-626-98951-3-7
　　　　　9786269895106(PDF)
　　　　　9786269895113(EPUB)

國家圖書館出版品預行編目 (CIP) 資料

小吃貨辦案～地獄鬼椒事件 / 王宇清文 ; 李秉軍圖 . -- 初版 . -- 新北市 : 小木馬 , 遠足文化事業股份有限公司 , 民 113.09
184 面 ; 17x21 公分注音版
ISBN 978-626-98951-2-0(上冊 : 平裝). --
ISBN 978-626-98951-3-7(下冊 : 平裝). --
ISBN 978-626-98951-4-4(全套 : 平裝)

863.596　　113012621